#홈스쿨링
#초등 영어 기초력
#초등영어 교육과정 기반

똑똑한 하루 Phonics는 무엇이 다를까요?

하루에 발음 1~2개! 단어 3~4개를 집중해서 연습하니까 배우기 쉬워요!
매일 4쪽씩 학습하고, 부록으로 놀이하듯 복습하며 균형 잡힌 학습을 해요!
발음 동영상으로 정확한 발음을 익히고, 찬트/랩으로 읽기 훈련을 해요!
반복되고 지루한 문제는 그만! 다양한 활동으로 재미있게 학습해요!
매주 5일은 스토리로 문장을 읽어 보고, 사이트 워드도 익혀 보세요!

#알파벳과 파닉스부터 #사이트 워드와 스토리까지 #똑똑하게 파닉스 완성하기!

똑똑한 하루 Phonics
시리즈 구성 (Starter, Level 1~3)

Starter A, B
A 알파벳 + 파닉스 ①
B 알파벳 + 파닉스 ②

Level 1 A, B
A 자음과 모음
B 단모음

Level 2 A, B
A 매직 e 장모음
B 연속자음 + 이중자음

Level 3 A, B
A 장모음
B 이중모음

똑똑한 하루 Phonics만의

똑똑한
부가 자료

책 속 부록

브로마이드

놀이 부록

온라인 자료

QR

▷ QR로 편리하게 듣고 발음 동영상도 볼 수 있어요.

추가 활동지

▷ 다양한 추가 활동지를 book.chunjae.co.kr 에서 다운 받으세요.

똑똑한 하루 Phonics

3주 완성 스케줄표

1주

 공부한 날짜를 써 봐!

1 A

1일 8~15쪽	2일 16~19쪽	3일 20~23쪽	4일 24~27쪽	5일 28~31쪽
알파벳	자음 Bb~Mm	자음 Nn~Zz	모음 a, e, i, o, u	1주 복습
월 일	월 일	월 일	월 일	월 일

TEST
32~33쪽
월 일

2주

힘을 내! 넌 최고야!

5일 60~63쪽	4일 56~59쪽	3일 52~55쪽	2일 48~51쪽	1일 40~47쪽	특강
2주 복습	Ss, Zz	Ff, Vv	Tt, Dd	Pp, Bb	34~39쪽
월 일	월 일	월 일	월 일	월 일	월 일

계획대로만 하면 금방 끝날 거야!

TEST
64~65쪽
월 일

3주

 배운 단어는 꼭꼭 복습하기!

특강	1일 72~79쪽	2일 80~83쪽	3일 84~87쪽	4일 88~91쪽	5일 92~95쪽
66~71쪽	Cc/Kk, Gg	Mm, Nn	Ll, Rr	Ww, Yy	3주 복습
월 일	월 일	월 일	월 일	월 일	월 일

TEST
96~97쪽
월 일

복습

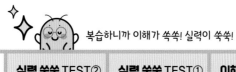 복습하니까 이해가 쏙쏙! 실력이 쏙쏙!

실력 쏙쏙 TEST②	실력 쏙쏙 TEST①	이해 쏙쏙 Activity	기초 탄탄 Review	특강
114~117쪽	110~113쪽	106~109쪽	104~105쪽	98~103쪽
월 일	월 일	월 일	월 일	월 일

똑똑한 하루 Phonics

똑똑한 QR 사용법

방법 1
QR로 편리하게 듣기

1. 교재 표지의 QR 코드 찍기
2. 해당 '레벨 ≫ 주 ≫ 일'을 터치하고, 원하는 음원과 동영상 재생하기
3. 복습할 때 찬트 모아 듣기, 동영상 모아 보기 기능 활용하기

방법 2
교재에서 바로 듣기

교재 본문의 QR 코드를 찍고, 원하는 음원과 동영상 재생하기

편하고 똑똑하게!

Chunjae
Makes
Chunjae

▼

똑똑한 하루 Phonics 1A

편집개발	조수민, 구보선, 유재영, 주선이
디자인총괄	김희정
표지디자인	윤순미, 이주영
내지디자인	박희춘, 이혜미
제작	황성진, 조규영

발행일	2021년 11월 15일 초판 2022년 10월 1일 2쇄
발행인	(주)천재교육
주소	서울시 금천구 가산로9길 54
신고번호	제2001-000018호
고객센터	1577-0902

똑 똑 한
하루
Phonics

자음과 모음

하루 4쪽!
쉽고 재미있게!

1A
자음과 모음

이렇게 구성했어요!

한 주
미리보기

1주에는 Starter A, B에서 배운 알파벳 자음과 모음의 소리를 다시 한 번 복습하고, 2~3주에는 자음을 두 개씩 짝지어 소리를 비교하며 익혀요.

배울 내용을 이야기로 살펴 보고, 스티커를 붙이며 학습을 준비해요.

1~4일
학습

만화와 발음 동영상을 보며 발음이 유사한 자음의 소리를 비교하여 익히고, 찬트를 불러 봐요.

듣고, 말하고, 읽고, 쓰며 다양한 활동을 통해 소리를 익혀요.

5일
복습

문제를 풀어 보며 자음과 모음의 소리를 복습해요.

한 주 동안 배운 단어로 구성된 스토리를 읽으며 읽기 자신감을 키워요.

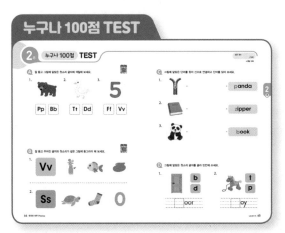

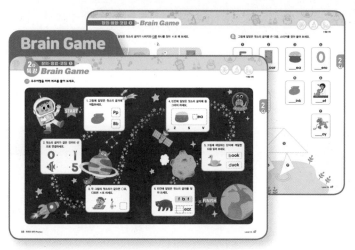

한 주 동안 배운 내용을 문제로 확인해 봐요.

창의 • 융합 • 코딩 활동으로, 복습은 물론!
재미와 사고력까지 UP!

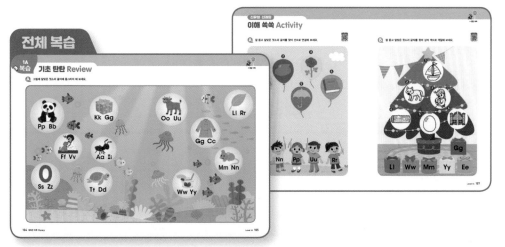

자음과 모음의 소리를 복습하고, 문제로 학습을 마무리해요.

발음 동영상으로
익혀 보세요.

놀이로 매일 복습하며
재미 쑥! 실력 쑥!

놀이 부록

부록을 뜯어서 놀이하듯 재미있게
자음과 모음의 소리를 복습해요.

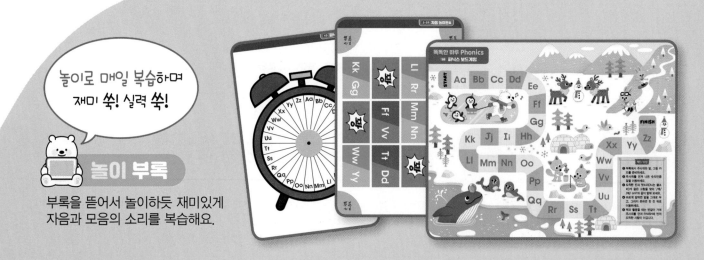

똑똑한 하루 Phonics ★ Level 1A ★
무엇을 배울까요?

1주

2주

권말 부록 ••••••• 뜯어 쓰는 놀이 부록

알파벳 이름과 소리

 알파벳 파닉스

 알파벳을 손으로 짚으며 이름과 소리를 말해 보세요.

에이	비	씨	디
Aa	**Bb**	**Cc**	**Dd**
[애]	[ㅂ]	[ㅋ]	[ㄷ]

이	에프	쥐	에이취
Ee	**Ff**	**Gg**	**Hh**
[에]	[ˈㅍ]	[ㄱ]	[ㅎ]

아이	제이	케이	엘
Ii	**Jj**	**Kk**	**Ll**
[이]	[ㅈ]	[ㅋ]	[ㄹ]

엠	엔	오우	피
Mm	**Nn**	**Oo**	**Pp**
[ㅁ]	[ㄴ]	[아]	[ㅍ]

큐	알	에스	티
Qq	**Rr**	**Ss**	**Tt**
[쿼]	[뤄]	[ㅅ]	[ㅌ]

유	브이	더블유	엑스
Uu	**Vv**	**Ww**	**Xx**
[어]	[ˇㅂ]	[워]	[ㅋㅅ]

와이	지
Yy	**Zz**
[여]	[ˀㅈ]

 Tip

알파벳은 모음 5개, 자음 21개로 이루어져 있어.
한글에는 없는 발음도 있으니 유의해야 해.

함께 배울 친구들

루루

안녕! 난 고릴라 '루루'라고 해.
책 읽기가 취미라서 요즘은
알파벳에 관한 책을 읽고 있어.
난 친구들을 사귀는 걸 좋아하고 모험을 즐겨.
용감하긴 한데 쥐는 정말 무서워.
가장 친한 친구는 앵무새 '무무'야.
밝고 명랑한 친구라서 함께 하면
항상 즐거워.

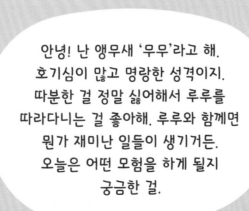

무무

안녕! 난 앵무새 '무무'라고 해.
호기심이 많고 명랑한 성격이지.
따분한 걸 정말 싫어해서 루루를
따라다니는 걸 좋아해. 루루와 함께면
뭔가 재미난 일들이 생기거든.
오늘은 어떤 모험을 하게 될지
궁금한 걸.

1 무무, 알파벳은 5개의 모음과 21개의 자음으로 이루어져 있대.

2 A, E, I, O, U를 '모음'이라고 해.

3 루루, 저기 좀 봐.

4 으아악, 부딪히겠어!

5 꽈당!

6 안녕, 난 모음 '에이'야.

너는 자음 '비'?

나를 아는구나!

1주 배울 내용

- **1일** 알파벳
- **2일** 자음 Bb~Mm
- **3일** 자음 Nn~Zz
- **4일** 모음
- **5일** 복습

1주

알맞은 스티커를 붙이고 Aa~Zz까지 순서대로 읽어 보세요.

Ee 이	Ff 에프	**Gg** 쥐	Hh 에이취	**Ii** 아이
Nn 엔	Oo 오우	**Pp** 피	Qq 큐	**Rr** 알
Ww 더블유	**Xx** 엑스	Yy 와이	**Zz** 지	

Quiz

알파벳 모음의 글자는 모두 몇 개인지 써 보세요.

_____개

알파벳 익히기 ①

📖 이야기를 들으며 알파벳 Aa를 만나 보세요.

저기 봐! 알파벳이야.

'에이'다!

에이!

나?

나?

난 대문자 '에이'.

난 소문자 '에이'.

너희 둘이 같이 있었구나.

그럼. 우리는 이름이 똑같은 단짝이니까.

우리도 단짝!

노래를 따라 불러 본 다음, 알파벳 대문자와 소문자를 따라 써 보세요.

 알파벳 대문자

A B C D E F G
H I J K L M N
O P Q R S T U
V W X Y Z

알파벳 소문자

a b c d e f g
h i j k l m n
o p q r s t u
v w x y z

알파벳 익히기 ②

 짝이 되는 소문자를 찾아 선으로 연결해 보세요.

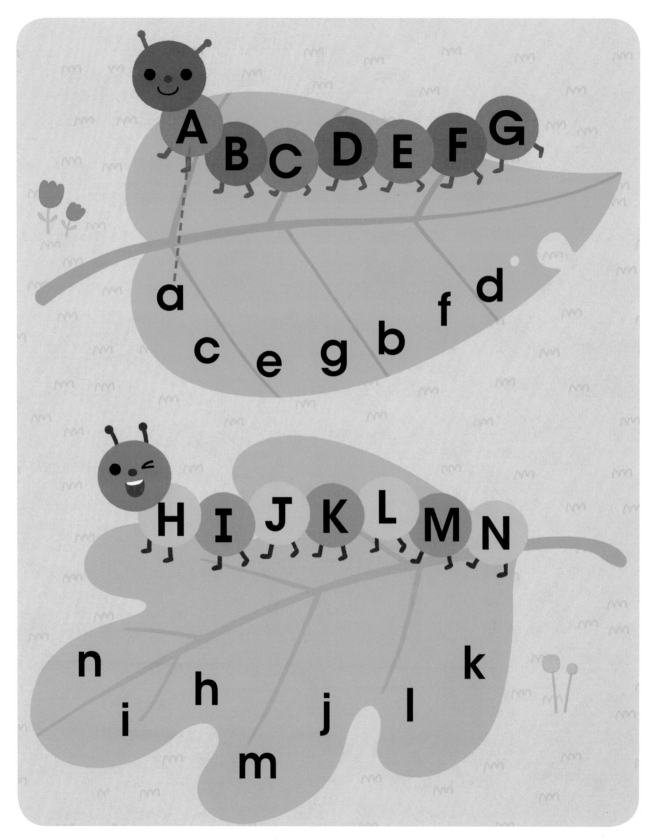

B 짝이 되는 소문자 스티커를 찾아 붙여 보세요.

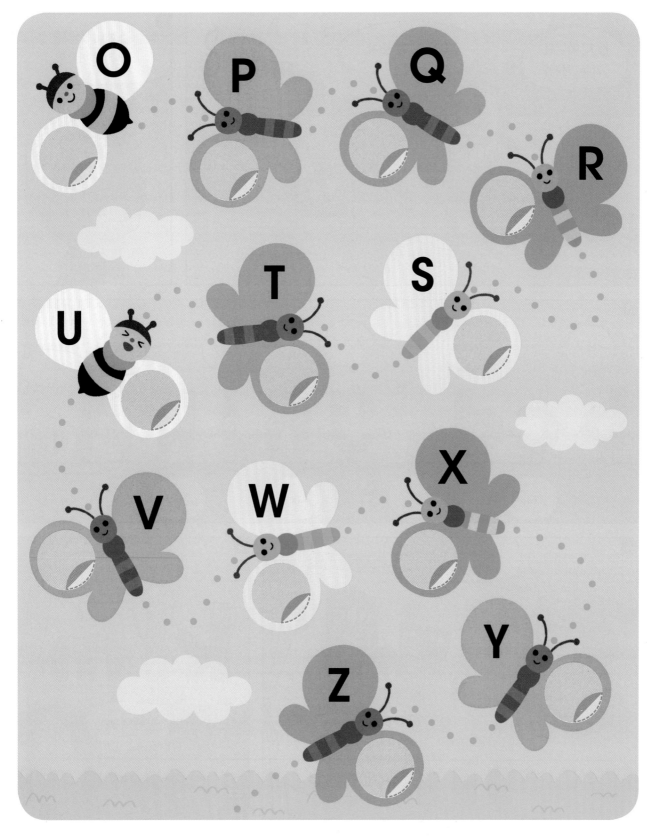

Bb~Mm 자음 익히기 ①

 자음 b~m이 어떻게 소리 나는지 들어 보세요.

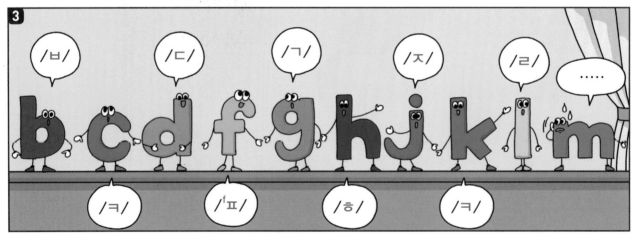

알맞은 소문자 스티커를 붙인 다음, 잘 듣고 따라 말해 보세요.

1주

ball
공

cup
컵

dog
개

fan
선풍기

game
게임

house
집

juice
주스

kite
연

lamp
램프

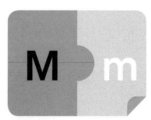

monkey
원숭이

● 잘 듣고 그림을 보면서 찬트를 따라 불러 보세요.

Bb~Mm 자음 익히기 ②

A 잘 듣고 첫소리 글자와 그림을 선으로 연결해 보세요.

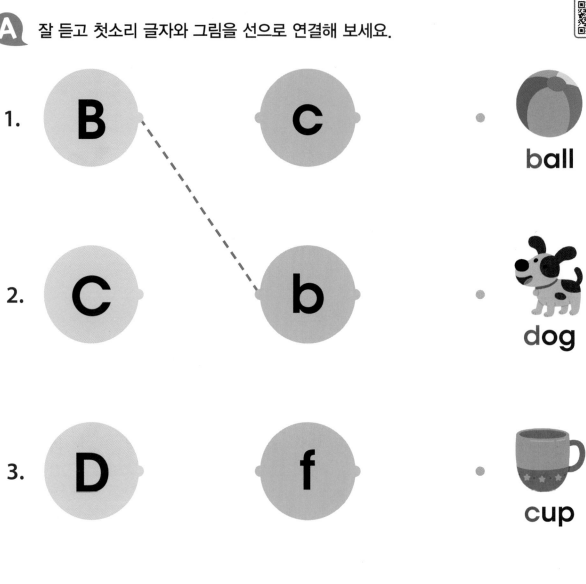

1. B   c

2. C   b

ball

dog

3. D   f

cup

4. F   g

game

5. G   d

fan

B 잘 듣고 그림에 알맞은 첫소리 글자를 골라 빈칸에 써 보세요.

1.

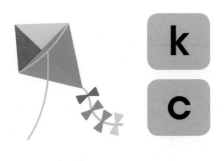

k
c

□ ite

2.

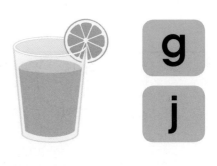

g
j

□ uice

3.

f
h

□ ouse

4.

l
m

□ amp

5.

m
g

□ onkey

6.

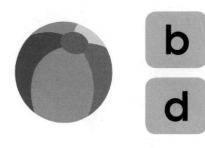

b
d

□ all

단어들을 /ㅂ/ /ㅂ/ ball과 같이 말해 보세요.　Level 1A **19**

Nn~Zz 자음 익히기 ①

📖 자음 n~z가 어떻게 소리 나는지 들어 보세요.

A 알맞은 소문자 스티커를 붙인 다음, 잘 듣고 따라 말해 보세요.

nine
숫자 9, 아홉

pig
돼지

quiz
퀴즈

robot
로봇

sun
해

tent
텐트

van
밴

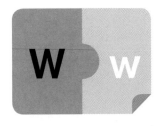
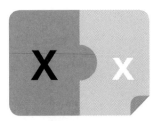

web
거미줄

fox
여우

yellow
노란색

zoo
동물원

● 잘 듣고 그림을 보면서 찬트를 따라 불러 보세요.

Nn~Zz 자음 익히기 ②

A 잘 듣고 첫소리 글자와 그림을 선으로 연결해 보세요.

1.	2.	3.	4.	5.
N	P	Q	R	S

q n p s r

pig

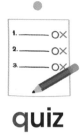

quiz

sun

9
nine

robot

B 잘 듣고 그림에 알맞은 첫소리나 끝소리 글자를 골라 빈칸에 써 보세요.

1.
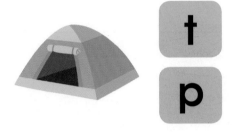

t
p

___ent

2.

n
v

___an

3.

z
q

___oo

4.

s
x

fo___

5.

v
y

___ellow

6.

w
r

___eb

단어들을 /ㅍ/ /ㅍ/ pig와 같이 말해 보세요. Level 1A **23**

a, e, i, o, u 모음 익히기 ①

📖 모음 a, e, i, o, u가 어떻게 소리 나는지 들어 보세요.

A 알맞은 소문자 스티커를 붙인 다음, 잘 듣고 따라 말해 보세요.

ant
개미

egg
달걀

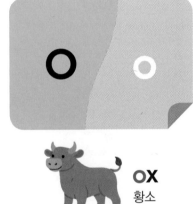

ink
잉크

ox
황소

umbrella
우산

● 잘 듣고 그림을 보면서 찬트를 따라 불러 보세요.

a, e, i, o, u 모음 익히기 ②

A 잘 듣고 첫소리 글자와 그림을 선으로 연결해 보세요.

1. A   e    egg

2. E   u   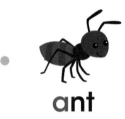 ant

3. I   a   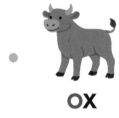 ox

4. O   i    umbrella

5. U   o    ink

▶정답 3쪽

B 잘 듣고 그림에 알맞은 첫소리 글자를 골라 빈칸에 써 보세요.

1.

a
i

☐ nk

2.

e
u

☐ gg

3.

i
u

☐ mbrella

4.

a
o

☐ nt

5.

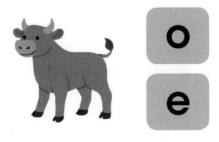

o
e

☐ x

단어들을 /에/ /에/ egg와 같이 말해 보세요.

알파벳 복습

A 잘 듣고 그림에 알맞은 첫소리 글자에 동그라미 해 보세요.

B 빈칸에 알맞은 첫소리 글자를 찾아 쓰고 단어를 읽어 보세요.

| k | p | g | y | n | m |

1.

_ame

2.

_ite

3.

_ellow

4.

_ig

5.

_onkey

6.

_ine

Story Time

A 이야기를 들으며 따라 읽어 보세요.

I am in the house.

I am in the van.

I am in the tent.

Good morning, Sun!

Sight Word

▶정답 4쪽

in을 찾아라!

B in을 찾아 색칠해 보세요.

on

in

is

in

an

in

am

at

in

in

- in은 '~ 안에'라는 뜻이에요.
- in은 모두 몇 개인가요? _____ 개

A 잘 듣고 그림에 알맞은 첫소리 글자에 색칠해 보세요.

1.

| Gg | Zz |

2.

| Ee | Uu |

3.

| Tt | Hh |

B 잘 듣고 주어진 글자와 첫소리가 같은 그림에 동그라미 해 보세요.

1.
Jj

2.
Dd

C 그림에 알맞은 단어를 찾아 선으로 연결하고 단어를 읽어 보세요.

1.

web

2.

van

3.

umbrella

D 그림에 알맞은 첫소리 글자를 골라 빈칸에 쓰세요.

1.

r
n

⬚obot

2.

l
q

⬚amp

Brain Game

〰️ 농장 길을 따라가며 퀴즈를 풀어 보세요.

2. 그림과 알맞은 첫소리 글자를 선으로 연결하세요.

Aa

Cc

1. 빈칸에 알맞은 알파벳 글자를 쓰세요.

Bb → Cc →

Tt → → Vv

START

FINISH

6. 빈칸에 알맞은 첫소리 글자를 찾아 쓰세요.

y j z

oo

▶정답 5쪽

3. 빈칸에 알맞은 첫소리 글자에 동그라미 하세요.

☐an

f   p   m

4. 두 그림의 첫소리가 같으면 ○표, 다르면 ×표 하세요.

5. 그림에 해당하는 단어에 색칠한 다음 읽어 보세요.

yellow

juice

A 보기와 같이 조각의 짝이 맞도록 그림과 단어를 선으로 연결해 보세요.

보기

1.
   s 

2.
   c 

3.
   h 

4.
   g 

B 루루가 무무와 스무고개를 하고 있어요. 빈칸에 알맞은 첫소리 글자를 쓴 다음, 무무가 생각한 단어 카드를 찾아 색칠해 보세요.

첫소리 글자가 모음이니?   아니.

단어에 같은 글자가 두 번 들어가니?   아니.

동물 이름이니?   아니.

첫소리가 /ᶠㅍ/로 소리 나니?   응, 맞아!

A 그림을 보고 지워진 글자를 빈칸에 순서대로 써넣어 단어를 완성해 보세요.

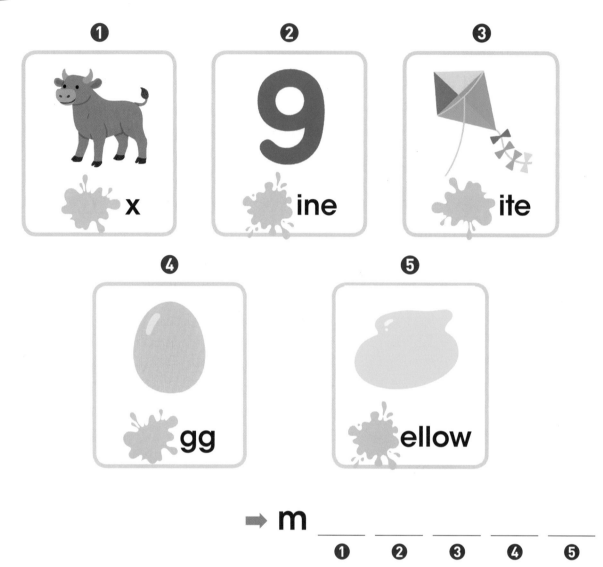

❶ ___x

❷ ___ine

❸ ___ite

❹ ___gg

❺ ___ellow

➡ m ___ ___ ___ ___ ___
　　　❶　　❷　　❸　　❹　　❺

● 단어에 해당하는 동물을 찾아 동그라미 해 보세요.

B 빈칸에 알맞은 글자를 골라 쓴 다음, 보기 의 단어 순서대로 미로를 빠져나가 보세요.

보기 ball ⋯▶ lamp ⋯▶ ink ⋯▶ web ⋯▶ tent

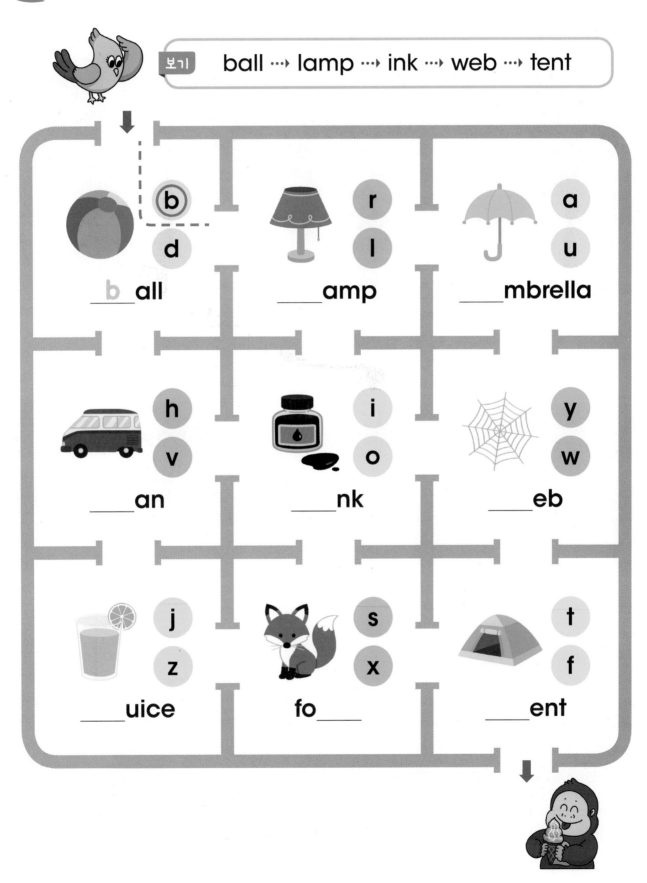

b d
b_all

r l
___amp

a u
___mbrella

h v
___an

i o
___nk

y w
___eb

j z
___uice

s x
fo___

t f
___ent

2
주

자, 어서 타렴.
이제 떠날 시간이야.

야호, 집에 돌아간다!

너희들은 지구에
여행 가는 거니?

지구가 어딘데?

이건 자음 마을로
가는 기차야.

자음 마을이라고?
지구가 아니고?

응.

타라고 하셨잖아요!

난 너희들이
자음 마을로 가는 줄
알았지.

엄마야!

꽉 잡아라!

악! 떨어질 것 같아!

zero

sea

fish

vase

알맞은 자음 스티커를 찾아 붙여 보세요.

p anda

b ear

d uck

t urtle

Quiz

p와 b로 시작하는 단어에 동그라미 하세요.

Pp와 Bb 소리 비교하기

 p와 b는 어떻게 소리 나는지 들어 보세요.

A 잘 듣고 Pp와 Bb의 소리를 비교하며 따라 말해 보세요.

피의 소리는 /ㅍ/

입술을 힘주어 다물었다 떼면서 /ㅍ/ 하고 세게 터지듯이 소리 내 봐.

pink 분홍색

panda 판다

비의 소리는 /ㅂ/

p 소리처럼 두 입술을 모았다가 벌리면서 /ㅂ/ 하고 소리 내 봐.

book 책

bear 곰

● 잘 듣고 그림을 보면서 찬트를 따라 불러 보세요.

B 쓰면서 Pp와 Bb의 소리를 말해 보세요.

Pp와 Bb 소리 익히기

 잘 듣고 사다리를 타고 내려가서 첫소리 글자 스티커를 붙여 보세요.

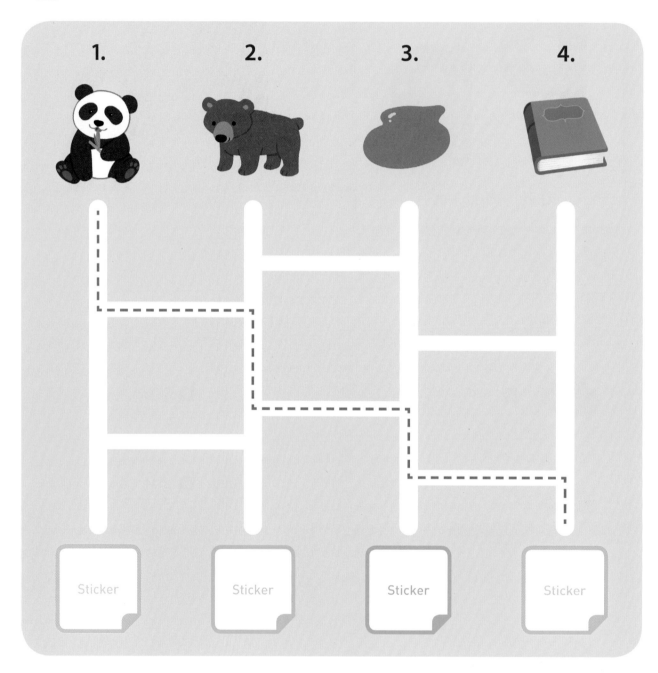

1.   2.   3.   4.

Sticker   Sticker   Sticker   Sticker

● 잘 듣고 그림을 손으로 가리키며 말해 보세요.

 따라 말하기 ☐   스스로 말하기 ☐

B 잘 듣고 알맞은 그림을 찾아 첫소리 글자와 연결한 다음, 단어를 말해 보세요.

Pp

Bb

C 알맞은 첫소리 글자를 빈칸에 쓰고 단어를 읽어 보세요.

1.

ear

2.

ink

3.

ook

4.

anda

단어들을 /ㅂ/ /ㅂ/ bear와 같이 말해 보세요.

Tt와 Dd 소리 비교하기

📖 t와 d는 어떻게 소리 나는지 들어 보세요.

A 잘 듣고 Tt와 Dd의 소리를 비교하며 따라 말해 보세요.

티의 소리는 / ㅌ /

혀를 윗니 뒤 딱딱한 부분에 댔다가 떼면서 / ㅌ / 하고 소리 내 봐.

toy 장난감

turtle 바다 거북

디의 소리는 / ㄷ /

t 소리처럼 혀를 윗니 뒤 딱딱한 부분에 댔다가 떼면서 / ㄷ / 하고 소리 내 봐.

duck 오리

door 문

● 잘 듣고 그림을 보면서 찬트를 따라 불러 보세요.

B 쓰면서 Tt와 Dd의 소리를 말해 보세요.

Tt와 Dd 소리 익히기

 A 잘 듣고 그림에 알맞은 첫소리 글자에 색칠해 보세요.

1.

Tt Dd

2.
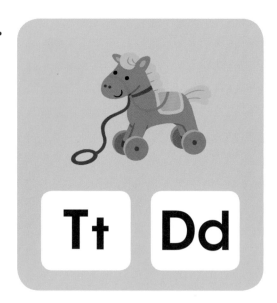
Tt Dd

3.

Tt Dd

4.

Tt Dd

● 잘 듣고 그림을 손으로 가리키며 말해 보세요.

 따라 말하기 스스로 말하기

B 잘 듣고 순서대로 선으로 연결한 다음, 그림을 보고 단어를 말해 보세요.

1. ★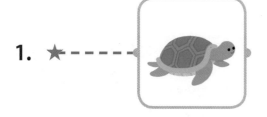

2. ★

C 알맞은 첫소리 글자를 빈칸에 쓰고 단어를 읽어 보세요.

1.

oor

2.

oy

3.

uck

4.

urtle

단어들을 /ㄷ/ /ㄷ/ door와 같이 말해 보세요.

Ff와 Vv 소리 비교하기

📖 f와 v는 어떻게 소리 나는지 들어 보세요.

잘 듣고 Ff와 Vv의 소리를 비교하며 따라 말해 보세요.

에프의 소리는 /ᶠㅍ/

윗니를 아랫입술에 살짝 대고 /ᶠㅍ/ 하고 바람을 내보내며 소리 내 봐.

fish 물고기

5 five 숫자 5, 다섯

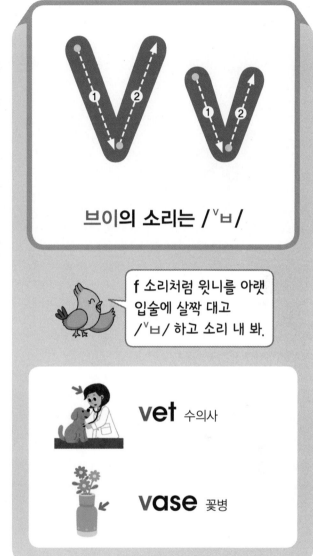

브이의 소리는 /ᵛㅂ/

f 소리처럼 윗니를 아랫입술에 살짝 대고 /ᵛㅂ/ 하고 소리 내 봐.

vet 수의사

vase 꽃병

● 잘 듣고 그림을 보면서 찬트를 따라 불러 보세요.

B 쓰면서 Ff와 Vv의 소리를 말해 보세요.

Ff와 Vv 소리 익히기

A 잘 듣고 사다리를 타고 내려가서 첫소리 글자 스티커를 붙여 보세요.

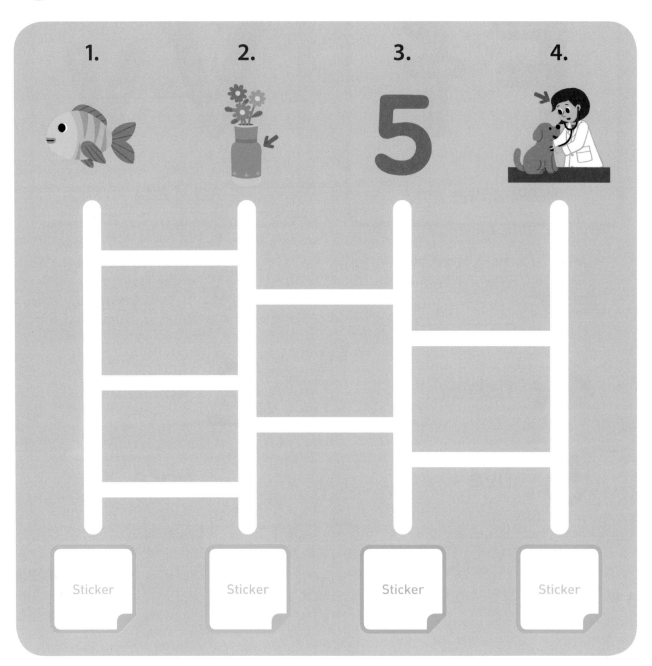

1.

2.

3.

4.

5

Sticker

Sticker

Sticker

Sticker

● 잘 듣고 그림을 손으로 가리키며 말해 보세요.

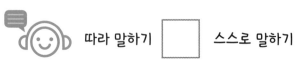 따라 말하기 ☐ 스스로 말하기 ☐

B 잘 듣고 알맞은 그림을 찾아 첫소리 글자와 연결한 다음, 단어를 말해 보세요.

 •

Ff

•

5 •

Vv

•

C 알맞은 첫소리 글자를 빈칸에 쓰고 단어를 읽어 보세요.

1.

	ase

2.
5

	ive

3.

	ish

4.

	et

단어들을 /ᵛㅂ/ /ᵛㅂ/ vase와 같이 말해 보세요.

Ss와 Zz 소리 비교하기

📖 s와 z는 어떻게 소리 나는지 들어 보세요.

A 잘 듣고 Ss와 Zz의 소리를 비교하며 따라 말해 보세요.

에스의 소리는 /ㅅ/

혀를 입천장에 대지 않고 바람을 내보내면서 /ㅅ/ 하고 소리 내 봐.

sea 바다

sock 양말 한 짝

지의 소리는 /ᶻㅈ/

혀를 입천장에 대지 않고 진동이 울리듯이 /ᶻㅈ/ 하고 소리 내 봐.

zero 숫자 0, 영

zipper 지퍼

● 잘 듣고 그림을 보면서 찬트를 따라 불러 보세요.

B 쓰면서 Ss와 Zz의 소리를 말해 보세요.

Ss

Zz

Ss와 Zz 소리 익히기

 잘 듣고 그림에 알맞은 첫소리 글자에 색칠해 보세요.

1.

Ss **Zz**

2.
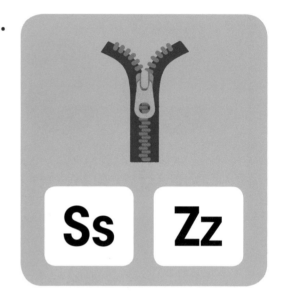

Ss **Zz**

3.
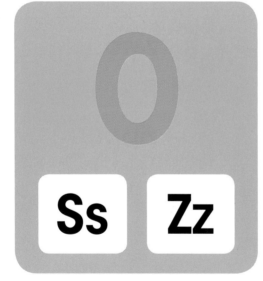

Ss **Zz**

4.

Ss **Zz**

● 잘 듣고 그림을 손으로 가리키며 말해 보세요.

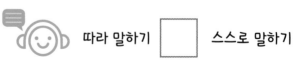 따라 말하기 ☐ 스스로 말하기 ☐

B 잘 듣고 순서대로 선으로 연결한 다음, 그림을 보고 단어를 말해 보세요.

1. ★

2. ★

C 알맞은 첫소리 글자를 빈칸에 쓰고 단어를 읽어 보세요.

1.

ea

2.

ipper

3.

ock

4.

ero

단어들을 /ㅅ/ /ㅅ/ sea와 같이 말해 보세요.

p-b, t-d, f-v, s-z 복습

A 잘 듣고 그림에 알맞은 첫소리 글자에 동그라미 해 보세요.

① Bb Pp

② Dd Tt

③ Ff Vv

④ Ss Zz

B 빈칸에 알맞은 첫소리 글자를 찾아 쓰고 단어를 읽어 보세요.

| s | p | t | v | f | b |

1.

□ea

2.

5

□ive

3.

□ink

4.

□et

5.

□urtle

6.

□ook

Story Time

A 이야기를 들으며 따라 읽어 보세요.

1 Where is my pink bear?

2 Where is my toy duck?

3 Where is my sock?

4 Oh, they are here.

Sight **Word**

where를 찾아라!

B where를 찾아 선으로 연결해 보세요.

- where는 '어디에'라는 뜻이에요.
- where는 모두 몇 개인가요? _____ 개

Ⓐ 잘 듣고 그림에 알맞은 첫소리 글자에 색칠해 보세요.

1.

| Pp | Bb |

2.

| Tt | Dd |

3.

| Ff | Vv |

Ⓑ 잘 듣고 주어진 글자와 첫소리가 같은 그림에 동그라미 해 보세요.

1.

Vv

2.

Ss

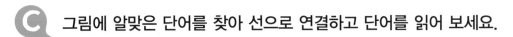 그림에 알맞은 단어를 찾아 선으로 연결하고 단어를 읽어 보세요.

1.  · · panda

2.  · · zipper

3.  · · book

D 그림에 알맞은 첫소리 글자를 골라 빈칸에 쓰세요.

1.  b
   d

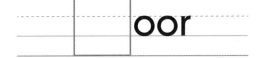oor

2.  t
   p

oy

2주 특강 창의·융합·코딩 ❶
Brain Game

🎵 우주여행을 하며 퀴즈를 풀어 보세요.

1. 그림에 알맞은 첫소리 글자에 색칠하세요.

Pp

Bb

2. 첫소리 글자가 같은 것끼리 선으로 연결하세요.

3. 두 그림의 첫소리가 같으면 ○표, 다르면 ✕표 하세요.

▶정답 10쪽

4. 빈칸에 알맞은 첫소리 글자에 동그라미 하세요.

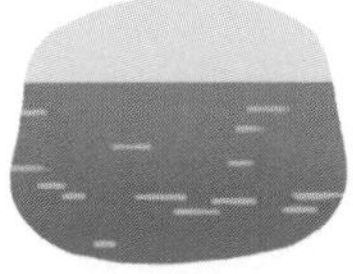

☐ea

Z   S   V

5. 그림에 해당하는 단어에 색칠한 다음 읽어 보세요.

book

duck

6. 빈칸에 알맞은 첫소리 글자를 찾아 쓰세요.

f b t

☐ear

FINISH

빈칸에 알맞은 첫소리 글자가 나머지와 <u>다른</u> 하나를 찾아 ×표 해 보세요.

1.

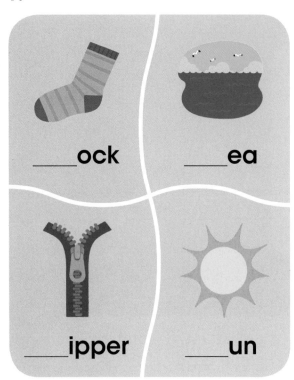

____ock ____ea

____ipper ____un

2.

____uck ____oor

____og ____urtle

3.

____an ____ase

____ive ____ish

4.

____anda ____all

____ook ____ear

▶정답 11쪽

B 그림에 알맞은 첫소리 글자를 쓴 다음, 스티커를 찾아 붙여 보세요.

❶ 5 ___ive

❷ ___oor

❸ ___ea

❹ 0 ___ero

2
주

❺ ___ink

❻ ___et

❼ ___oy

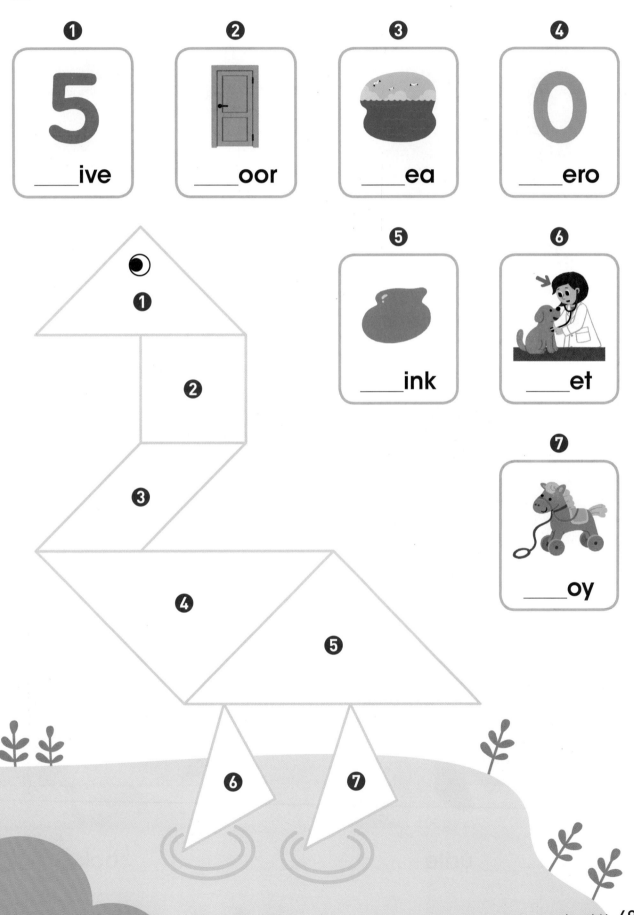

A 조각을 바르게 배열하면 어떤 그림이 나오나요? 빈칸에 알맞은 첫소리 글자를 써 보세요.

1.

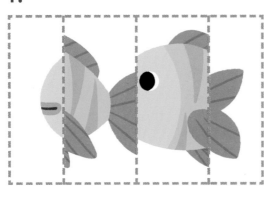

_____ish

2.

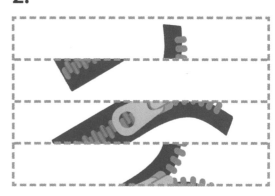

_____ipper

3.

_____anda

4.

_____ook

5.

_____urtle

6.

_____ock

▶정답 11쪽

B 암호 힌트를 보고 퀴즈의 정답을 완성한 다음, 해당하는 그림에 동그라미 해 보세요.

a	b	c	d	e	f	g	h	i

j	k	l	m	n	o	p	q	r

s	t	u	v	w	x	y	z

Q 어떤 동물이니?

Q 무슨 색깔이니?

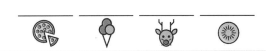

Q 무엇을 들고 있니?

이번 주에는 무엇을 배울까? ①

1

우리가 지금 여기에 있는 거네.

자음 마을 지도

루루, 봐! 마을 끝에 알파벳 성이 있어.

2

안녕, 난 알파벳 성의 문지기 '쥐'라고 해.

안녕.

3

휴….

4

G 무슨 걱정이 있니?

5

이곳 자음 마을에는 자음들이 짝을 지어 평화롭게 살고 있었어.

그런데 얼마 전에 이걸 받았어.

이번 주에는 무엇을 배울까? ❷

y acht

w olf

m ouse

n est

알맞은 자음 스티커를 찾아 붙여 보세요.

k ey

g ate

l og

r ose

Quiz

새가 물고 있는 물건의 이름에 동그라미 하세요.

Cc/Kk와 Gg 소리 비교하기

📖 c/k와 g는 어떻게 소리 나는지 들어 보세요.

A 잘 듣고 Cc/Kk와 Gg의 소리를 비교하며 따라 말해 보세요.

씨와 케이의 소리는 / ㅋ /

c와 k는 소리가 같아. 입을 살짝 벌리고 / ㅋ / 하고 소리 내 봐.

coat 코트

key 열쇠

쥐의 소리는 / ㄱ /

c와 k 소리처럼 입을 살짝 벌리고 / ㄱ / 하고 소리 내 봐.

gate 정문, 대문

gift 선물

3
주

● 잘 듣고 그림을 보면서 찬트를 따라 불러 보세요.

B 쓰면서 Cc/Kk와 Gg의 소리를 말해 보세요.

Cc/Kk와 Gg 소리 익히기

A 잘 듣고 사다리를 타고 내려가서 첫소리 글자 스티커를 붙여 보세요.

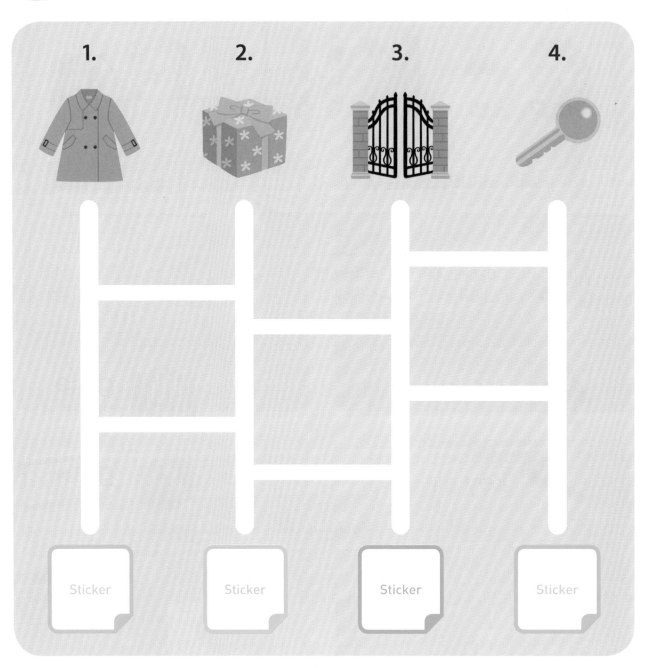

1.　　2.　　3.　　4.

Sticker　　Sticker　　Sticker　　Sticker

● 잘 듣고 그림을 손으로 가리키며 말해 보세요.

 따라 말하기 ☐ 스스로 말하기 ☐

B 잘 듣고 알맞은 그림을 찾아 첫소리 글자와 연결한 다음, 단어를 말해 보세요.

Cc   **Kk**   **Gg**

3
주

C 알맞은 첫소리 글자를 빈칸에 쓰고 단어를 읽어 보세요.

1.

　ate

2.

　ey

3.

　ift

4.

　oat

단어들을 /ㄱ/ /ㄱ/ gate와 같이 말해 보세요.

Mm과 Nn 소리 비교하기

📖 m과 n은 어떻게 소리 나는지 들어 보세요.

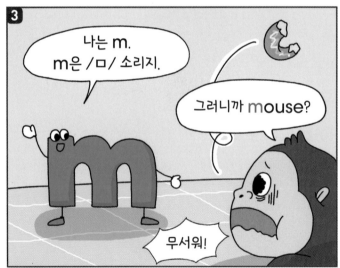

A 잘 듣고 Mm과 Nn의 소리를 비교하며 따라 말해 보세요.

엠의 소리는 / ㅁ /

콧소리를 내듯이 입술을 다물고 / ㅁ / 하고 소리 내 봐.

mom 엄마

mouse 쥐

엔의 소리는 / ㄴ /

혀끝을 윗니 뒤 딱딱한 부분에 댔다가 떼면서 / ㄴ / 하고 소리 내 봐.

net 그물

nest 둥지

● 잘 듣고 그림을 보면서 찬트를 따라 불러 보세요.

B 쓰면서 Mm과 Nn의 소리를 말해 보세요.

Mm

Nn

Mm과 Nn 소리 익히기

A 잘 듣고 그림에 알맞은 첫소리 글자에 색칠해 보세요.

1.

Mm Nn

2.

Mm Nn

3.

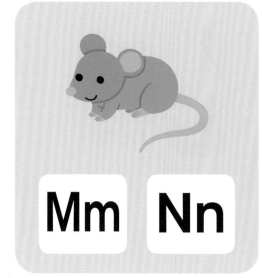

Mm Nn

4.

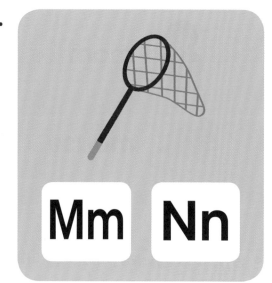

Mm Nn

● 잘 듣고 그림을 손으로 가리키며 말해 보세요.

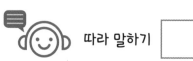 따라 말하기 □ 스스로 말하기 □

B 잘 듣고 순서대로 선으로 연결한 다음, 그림을 보고 단어를 말해 보세요.

1. ★   **Mm**

2. ★   **Nn**

C 알맞은 첫소리 글자를 빈칸에 쓰고 단어를 읽어 보세요.

1.

    ouse

2.

    est

3.

    om

4.

    et

단어들을 /ㅁ/ /ㅁ/ mouse와 같이 말해 보세요.

Ll과 Rr 소리 비교하기

 l과 r은 어떻게 소리 나는지 들어 보세요.

1

와, 예쁘다.

그건 무슨 꽃이야?

/뤄-뤄/ rose.
r은 혀끝을
둥글게 말아서
소리 내지.

2

leaf도 /뤄/ 소린가?

아니, l은 /ㄹ/ 소리야.
l은 혀를 말지 않고 소리 내.

3

r은 뭘 하는 거니?

글쎄.

4

좋아한다.

안 좋아한다.

좋아한다! 야호!

5

/뤄-뤄/ rose는

/ㄹ-ㄹ/
leaf도 있고

가시도 있지.
조심해!

6

받아 줄래?

앗 따가워!

A 잘 듣고 Ll과 Rr의 소리를 비교하며 따라 말해 보세요.

엘의 소리는 /ㄹ/

혀를 윗니 바로 뒤쪽에 댔다가 떼면서 /ㄹ/ 하고 소리 내 봐.

log 통나무

leaf 잎

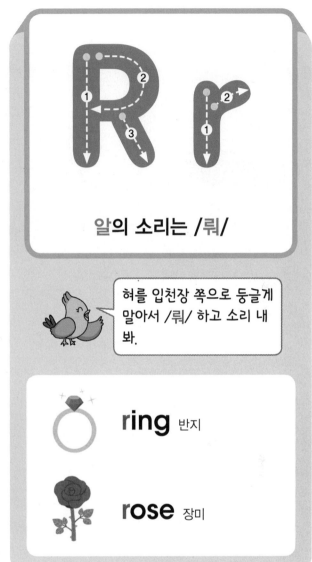

알의 소리는 /뤄/

혀를 입천장 쪽으로 둥글게 말아서 /뤄/ 하고 소리 내 봐.

ring 반지

rose 장미

● 잘 듣고 그림을 보면서 찬트를 따라 불러 보세요.

B 쓰면서 Ll과 Rr의 소리를 말해 보세요.

Ll과 Rr 소리 익히기

PHONICS

A 잘 듣고 사다리를 타고 내려가서 첫소리 글자 스티커를 붙여 보세요.

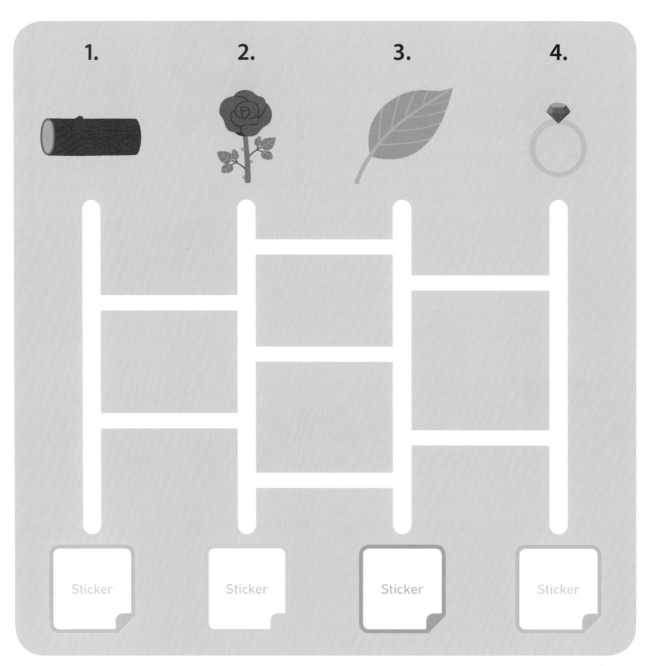

1.　2.　3.　4.

Sticker　Sticker　Sticker　Sticker

● 잘 듣고 그림을 손으로 가리키며 말해 보세요.

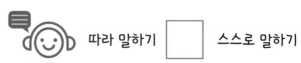 따라 말하기 ☐ 스스로 말하기 ☐

86 똑똑한 하루 Phonics

B 잘 듣고 알맞은 그림을 찾아 첫소리 글자와 연결한 다음, 단어를 말해 보세요.

 ·

Ll

·

 ·

Rr

·

C 알맞은 첫소리 글자를 빈칸에 쓰고 단어를 읽어 보세요.

1.

☐ ing

2.

☐ eaf

3.

☐ og

4.

☐ ose

단어들을 /뤄/ /뤄/ ring과 같이 말해 보세요.

Ww와 Yy 소리 비교하기

 w와 y는 어떻게 소리 나는지 들어 보세요.

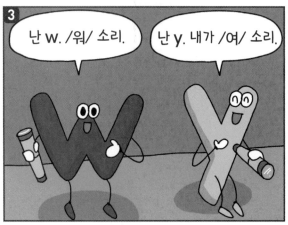

A 잘 듣고 Ww와 Yy의 소리를 비교하며 따라 말해 보세요.

더블유의 소리는 /워/

입술을 둥글게 모으고 /우-워/ 하고 빠르게 이어서 소리 내 봐.

wolf 늑대

water 물

와이의 소리는 /여/

입을 양옆으로 당겨서 /이-여/ 하고 빠르게 이어서 소리 내 봐.

yacht 요트

yogurt 요구르트

● 잘 듣고 그림을 보면서 찬트를 따라 불러 보세요.

B 쓰면서 Ww와 Yy의 소리를 말해 보세요.

Ww

Yy

Ww와 Yy 소리 익히기

A 잘 듣고 그림에 알맞은 첫소리 글자에 색칠해 보세요.

1.

Ww Yy

2.
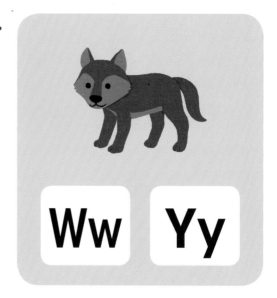

Ww Yy

3.

Ww Yy

4.

Ww Yy

● 잘 듣고 그림을 손으로 가리키며 말해 보세요.

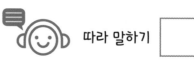 따라 말하기 [ ] 스스로 말하기 [ ]

B 잘 듣고 순서대로 선으로 연결한 다음, 그림을 보고 단어를 말해 보세요.

1. ★   **Yy**

2. ★   **Ww**

3
주

C 알맞은 첫소리 글자를 빈칸에 쓰고 단어를 읽어 보세요.

1.

olf

2.

acht

3.

ogurt

4.

ater

단어들을 /워/ /워/ wolf와 같이 말해 보세요.

A 잘 듣고 그림에 알맞은 첫소리 글자에 색칠해 보세요.

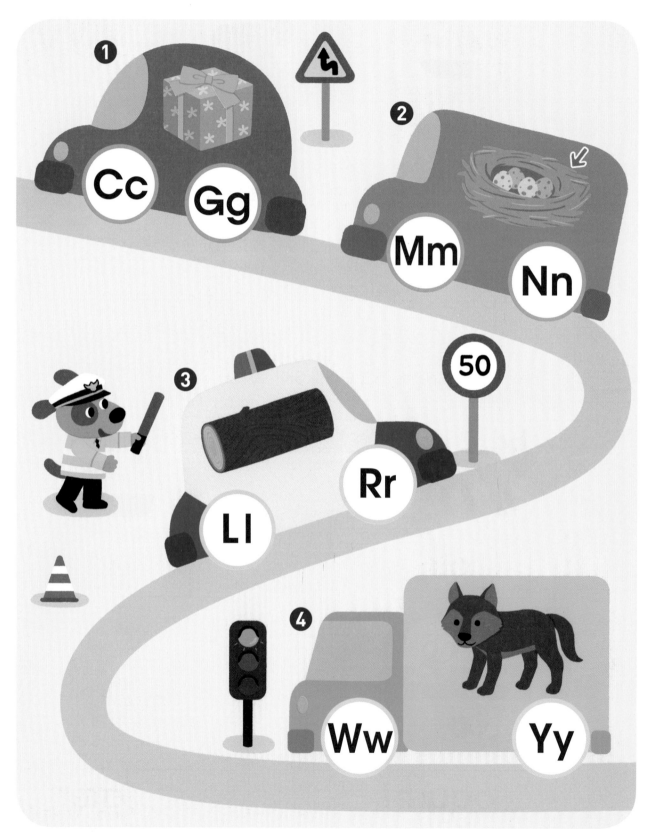

B 빈칸에 알맞은 첫소리 글자를 찾아 쓰고 단어를 읽어 보세요.

c　　k　　m　　r　　l　　y

1.

ey

2.

eaf

3.

oat

4.

ouse

5.

ogurt

6.

ing

Story Time

A 이야기를 들으며 따라 읽어 보세요.

I see a gift.

I see a key.

I see a yacht.

I like my new coat.

Sight Word

see를 찾아라!

B see를 찾아 동그라미 해 보세요.

like	see	have
see	make	come
see	go	see

3
주

- see는 '보다'라는 뜻이에요.
- see는 모두 몇 개인가요? _____ 개

A 잘 듣고 그림에 알맞은 첫소리 글자에 색칠해 보세요.

1.

| Cc | Gg |

2.

| Ll | Rr |

3.

| Mm | Nn |

B 잘 듣고 주어진 글자와 첫소리가 같은 그림에 동그라미 해 보세요.

1.

Ww

2.

Ll

C 그림에 알맞은 단어를 찾아 선으로 연결하고 단어를 읽어 보세요.

1.  · · **gate**

2.  · · **mom**

3.  · · **yacht**

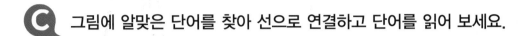

D 그림에 알맞은 첫소리 글자를 골라 빈칸에 쓰세요.

1.

l
n

__est

2.

k
w

__olf

Brain Game

성으로 향하는 길을 따라가며 퀴즈를 풀어 보세요.

START

1. 그림에 알맞은 첫소리 글자에 색칠하세요.

Mm

Nn

3. 두 그림의 첫소리가 같으면 ○표, 다르면 ×표 하세요.

2. 첫소리 글자가 같은 것끼리 선으로 연결하세요.

▶정답 16쪽

4. 그림에 해당하는 단어에 색칠한 다음 읽어 보세요.

leaf

yogurt

5. 빈칸에 알맞은 첫소리 글자에 동그라미 하세요.

☐ater

y　c　w

6. 빈칸에 알맞은 첫소리 글자를 찾아 쓰세요.

m l r

☐ose

A 그림과 첫소리 글자를 선으로 연결하여 퍼즐을 완성해 보세요.

1.

2.

3.

4.

5.

▶정답 16쪽

B 무무가 친구를 만나러 가려고 해요. 빈칸에 들어갈 첫소리 글자를 따라가 보세요.

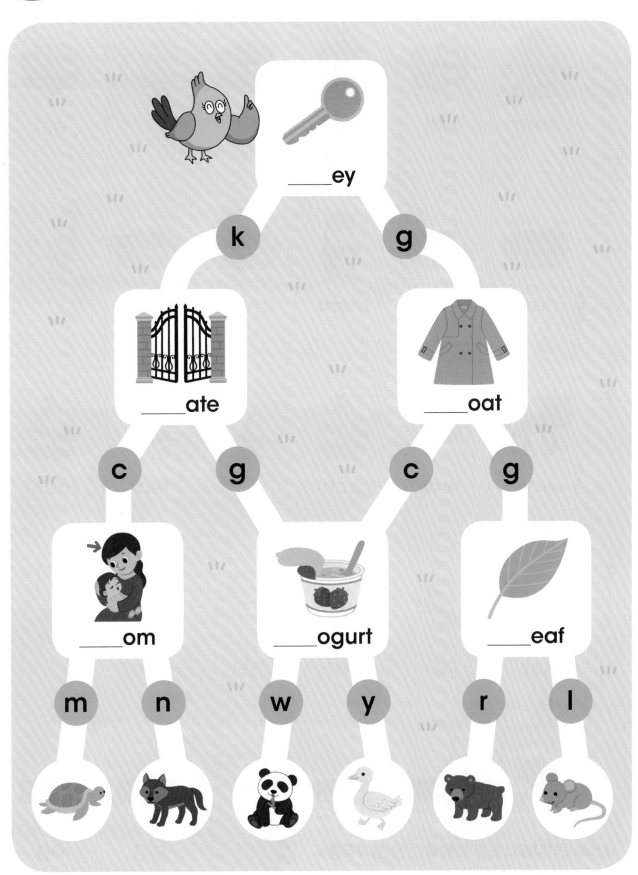

그림의 순서를 살펴보고, 빈칸에 들어갈 스티커를 찾아 붙여 보세요.

1.

coat   gift   coat   gift   gift

2.

nest   nest   mom   nest   nest

3.

wolf   leaf   yacht   leaf   yacht

4.

key   key   net   net   key

5.

rose   log   log   log   log

▶정답 17쪽

B 그림을 보고 빈칸에 알맞은 첫소리 글자를 써 보세요.

❶ ____ing

❷ ____ouse

❸ ____og

❹ ____ater

❺ ____et

❻ ____ogurt

❼ ____ate

❽ ____oat

3
주

● 글자에 해당하는 색으로 그림을 색칠해 보세요. 무엇이 보이나요?

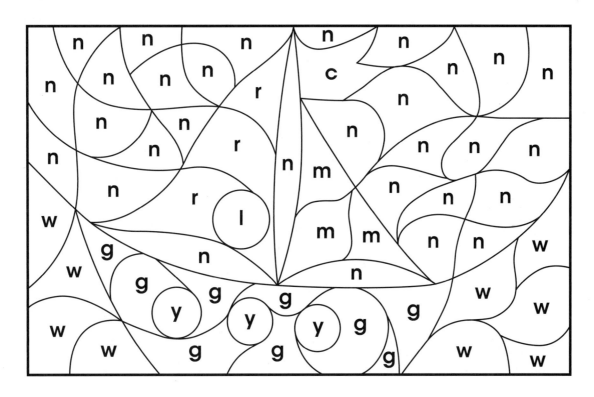

기초 탄탄 Review

A 그림에 알맞은 첫소리 글자에 동그라미 해 보세요.

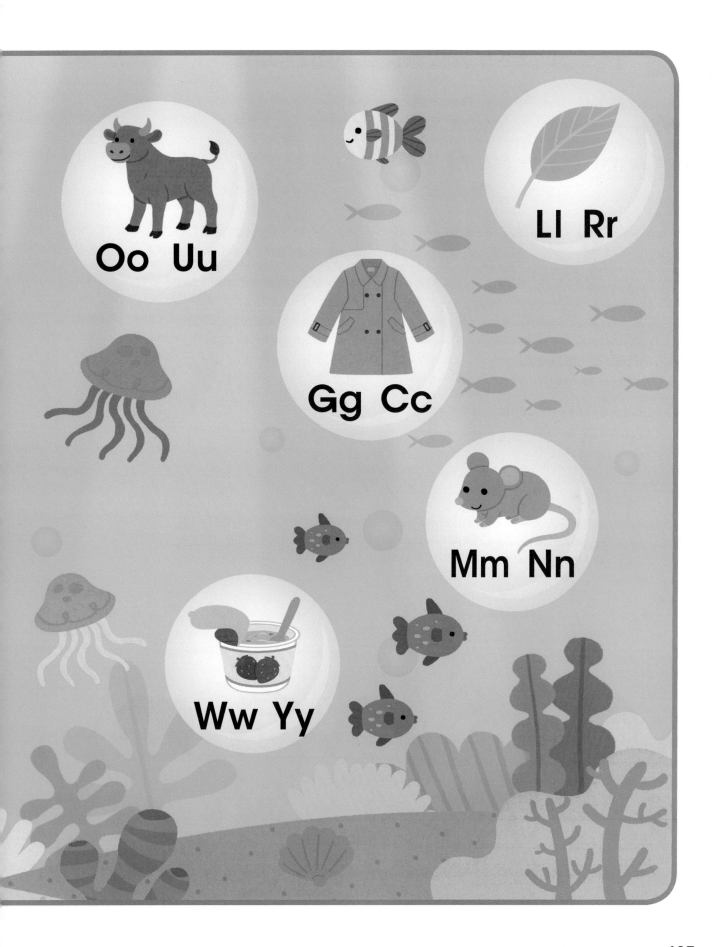

이해 쏙쏙 Activity

A 잘 듣고 알맞은 첫소리 글자를 찾아 선으로 연결해 보세요.

▶정답 18쪽

B 잘 듣고 알맞은 첫소리 글자를 찾아 상자 색으로 색칠해 보세요.

잘 듣고 알맞은 첫소리 글자에 동그라미 하며 연못을 건너가 보세요.

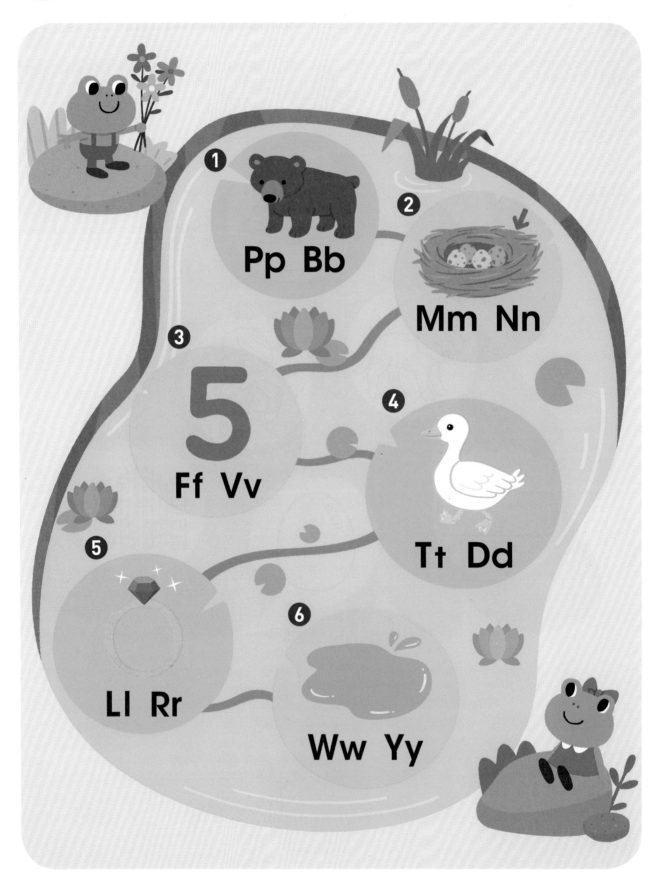

D 잘 듣고 알맞은 첫소리 글자의 스티커를 찾아 붙여 보세요.

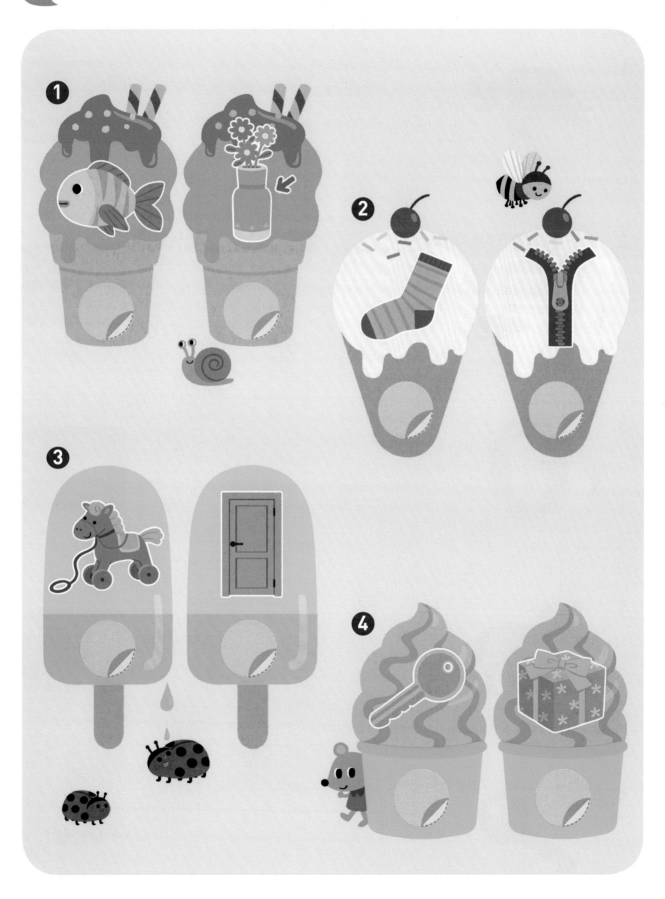

실력 쑥쑥 TEST ①

A 잘 듣고 알맞은 첫소리 글자를 찾아 선으로 연결해 보세요.

1.

·

Zz

2.

·

Ii

3.
O ·

Tt

4.

·

Kk

5.

·

Ww

▶정답 19쪽

B 잘 듣고 알맞은 그림과 첫소리 글자를 찾아 동그라미 해 보세요.

1.

Ll Rr

2.

Pp Bb

3.

Mm Nn

4.

Ff Vv

5.

Oo Uu

6.

Cc Gg

첫소리 글자와 그림, 단어를 선으로 연결해 보세요.

1. C

coat

2. R

rose

3. F

fish

4. M

mom

5. A

ant

D 빈칸에 알맞은 첫소리 글자를 찾아 쓰고, 단어를 읽어 보세요.

d	y	s	e	k	b

1.

ock

2.

uck

3.

ey

4.

ook

5.

acht

6.

gg

A 잘 듣고 알맞은 첫소리 글자를 찾아 선으로 연결해 보세요.

1.  •

         Rr

2.  •

         Pp

3.  •

         Uu

4.  •

         Mm

5.  •

         Bb

▶정답 20쪽

B 잘 듣고 알맞은 그림과 첫소리 글자를 찾아 동그라미 해 보세요.

1.

Gg Kk

2.

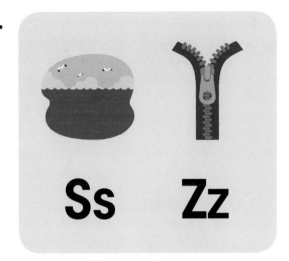

Ss Zz

3.

Tt Dd

4.

Ww Yy

5.

Ii Aa

6.

Ff Vv

C 첫소리 글자와 그림, 단어를 선으로 연결해 보세요.

1. •  • gate

2. •  • vet

3. •  • leaf

4. •  • nest

5. •  • ink

▶정답 20쪽

D 빈칸에 알맞은 첫소리 글자를 찾아 쓰고, 단어를 읽어 보세요.

z   o   w   p   m   t

1.

| | ater |

2.

| | ero |

3.

| | urtle |

4.

| | x |

5.

| | anda |

6.

| | ouse |

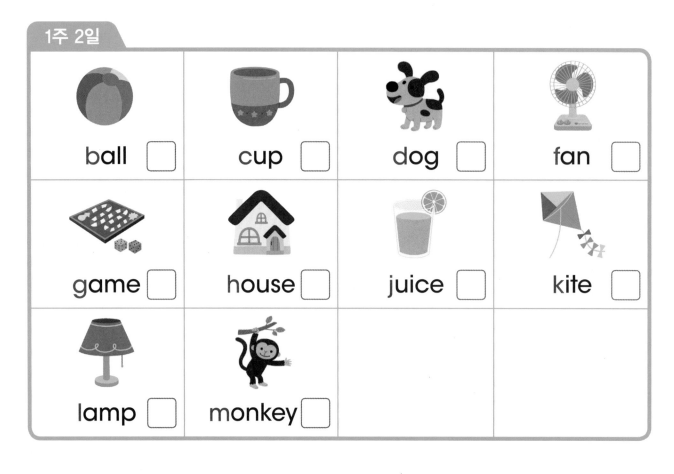

1주 2일

ball ☐	cup ☐	dog ☐	fan ☐
game ☐	house ☐	juice ☐	kite ☐
lamp ☐	monkey ☐		

1주 3일

nine ☐	pig ☐	quiz ☐	robot ☐
sun ☐	tent ☐	van ☐	web ☐
fox ☐	yellow ☐	zoo ☐	

1주 4일

ant ☐	egg ☐	ink ☐	ox ☐
umbrella ☐			

2주 1일

pink ☐	panda ☐	book ☐	bear ☐

2주 2일

toy ☐	turtle ☐	duck ☐	door ☐

2주 3일

fish ☐	five ☐	vet ☐	vase ☐

2주 4일

| sea ☐ | sock ☐ | zero ☐ | zipper ☐ |

3주 1일

| coat ☐ | key ☐ | gate ☐ | gift ☐ |

3주 2일

| mom ☐ | mouse ☐ | net ☐ | nest ☐ |

3주 3일

| log ☐ | leaf ☐ | ring ☐ | rose ☐ |

3주 4일

| wolf ☐ | water ☐ | yacht ☐ | yogurt ☐ |

1주 알파벳 대·소문자판

⭐ **활용 방법**

알파벳 대문자 위에 짝이 되는 소문자 카드를 놓아 보세요. 뒷면의 소문자 위에는 대문자 카드를 놓아 보세요.

1주 파닉스 시계

⭐ **활용 방법 1**　　　　　　　　　　　　　　　　 준비물 연필, 클립

❶ 손가락으로 클립을 팅겨 보세요.

❷ 클립이 놓인 칸의 알파벳 글자 이름과 소리를 '에이 /애/ /애/'와 같이 말해 보세요.

⭐ **활용 방법 2**　　　　　　　　　 준비물 연필, 클립, 1주 단어 카드

❶ 단어 카드는 그림이 위로 향하게 펼쳐 놓으세요.

❷ 손가락으로 클립을 팅겨 보세요.

❸ 클립이 놓인 칸과 첫소리가 같은 단어 그림을 찾아 '/애/ /애/ ant'와 같이 말해 보세요. Xx에 놓인 때에는 끝소리가 같은 단어 그림을 찾으세요.

2-3주 자음 놀이판 A/B

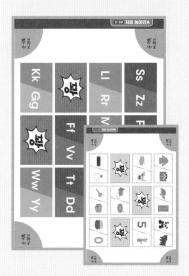

⭐ **활용 방법 1**　　　　　　 준비물 지우개, 2~3주 단어 카드

❶ 자음 놀이판A를 준비하고, 단어 카드는 그림이 위로 향하게 펼쳐 놓으세요.

❷ 원하는 곳에 지우개를 놓고 팅겨서 도착한 칸과 첫소리가 같은 단어 그림을 찾아 '/ㅅ/ /ㅅ/ sock, /ᶻㅈ/ /ᶻㅈ/ zero'와 같이 말해 보세요.

⭐ **활용 방법 2**　　　　　　　　　　　　　　　　　 준비물 지우개

❶ 자음 놀이판B를 준비하고, 원하는 곳에 지우개를 놓고 팅겨 보세요.

❷ 도착한 칸의 그림에 알맞게 '/ㅋ/ /ㅋ/ coat, /ㄱ/ /ㄱ/ gate'와 같이 말해 보세요.

2-3주 워드북 만들기

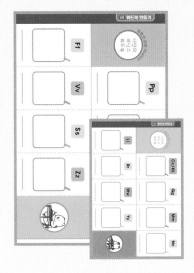

★ **활용 방법** 준비물 색연필 또는 사인펜, 가위, 풀

❶ 각 칸에 주어진 자음의 글자와 첫소리가 같은 단어 그림을 그리고, 단어를 빈칸에 써 보세요.

❷ 가위로 가운데를 잘라 점선을 따라 접은 다음, 두 조각을 연결해 워드북을 만들어 보세요.

기차 카드판

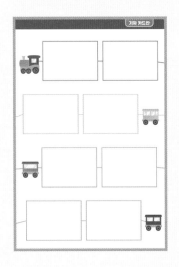

★ **활용 방법** 준비물 단어 카드

기차 칸 위에 단어 카드를 올려 놓으며 말하기 연습을 해 보세요. 예를 들어, 첫소리가 같은 단어 카드끼리 놓아 보면서 발음을 연습해 보세요.

단어 카드

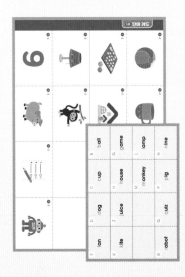

★ **활용 방법** 준비물 기차 카드판, 단어 카드

❶ 친구 또는 부모님이 불러 주는 알파벳을 듣고, 첫소리가 같은 단어 카드를 찾아 보세요.

❷ 기차 카드판 위에 카드를 올려 놓고 '/ㅂ/ /ㅂ/ ball'과 같이 말해 보세요.

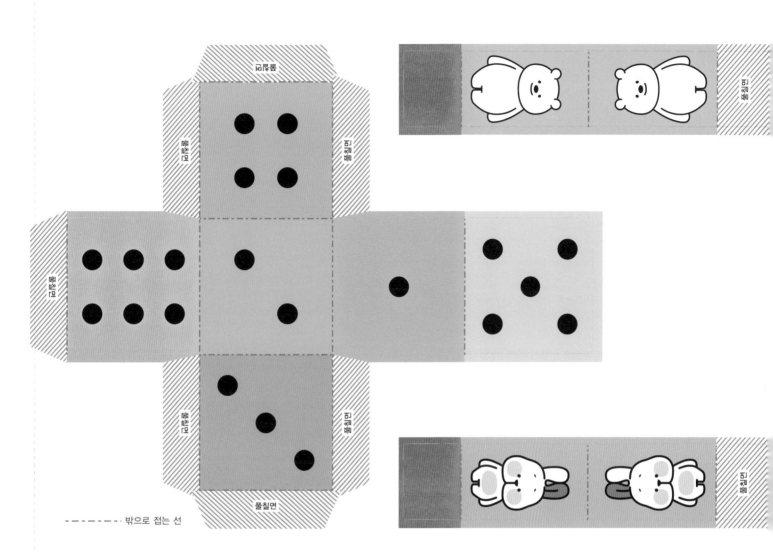

풀칠면

- - - - - - 밖으로 접는 선

game	fan	egg	dog	cup	ball	ant
nine	monkey	lamp	kite	juice	ink	house
umbrella	tent	sun	robot	quiz	pig	ox
		zoo	yellow	fox	web	van

A B C D

E F G H

I J K L

M N O P

Q R S T

U V W X

Y Z

a	b	c	d
e	f	g	h
i	j	k	l
m	n	o	p
q	r	s	t
u	v	w	x
y	z		

a b c d e
f g h i j
k l m n o
p q r s t
u v w x y
z

E D C B A

J I H G F

O N M L K

T S R Q P

Y X W V U

Z

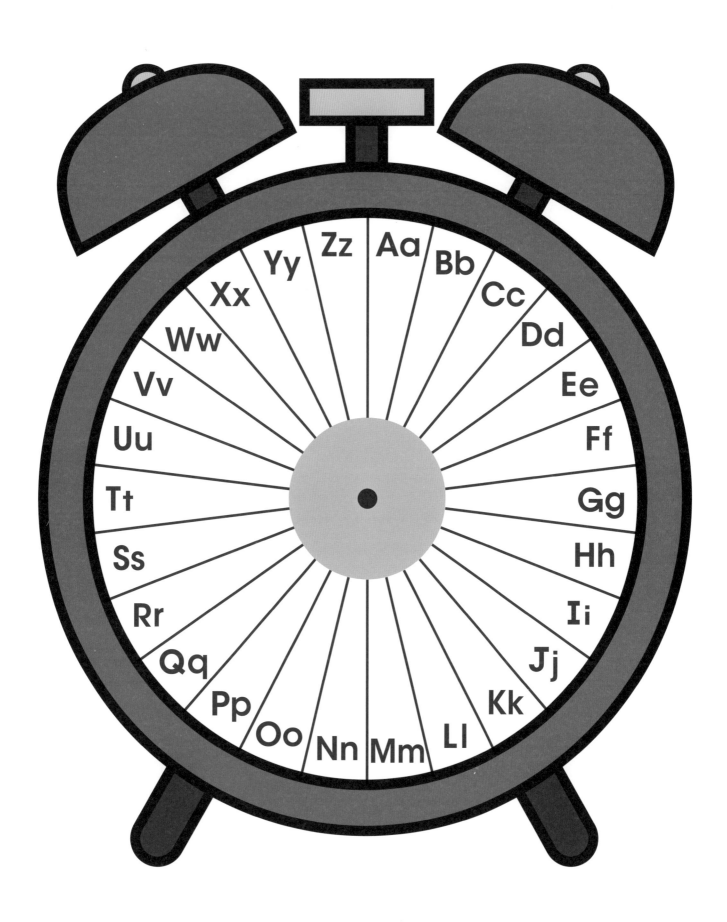

지우개 놓는 곳

지우개 놓는 곳

Kk Gg

꽝

Ll Rr

Ss Zz

꽝

Ff Vv

Mm Nn

Pp Bb

Ww Yy

Tt Dd

꽝

Cc Gg

지우개 놓는 곳

지우개 놓는 곳

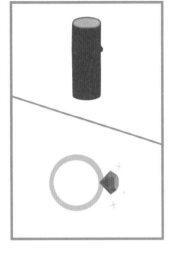

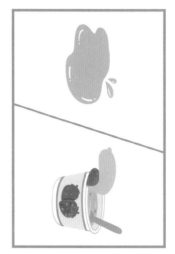
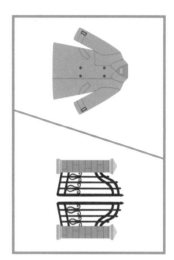
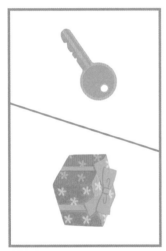
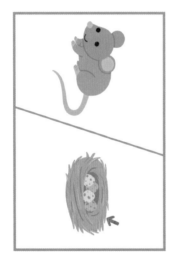

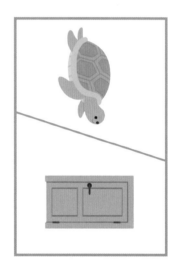
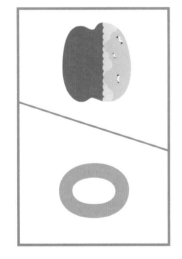

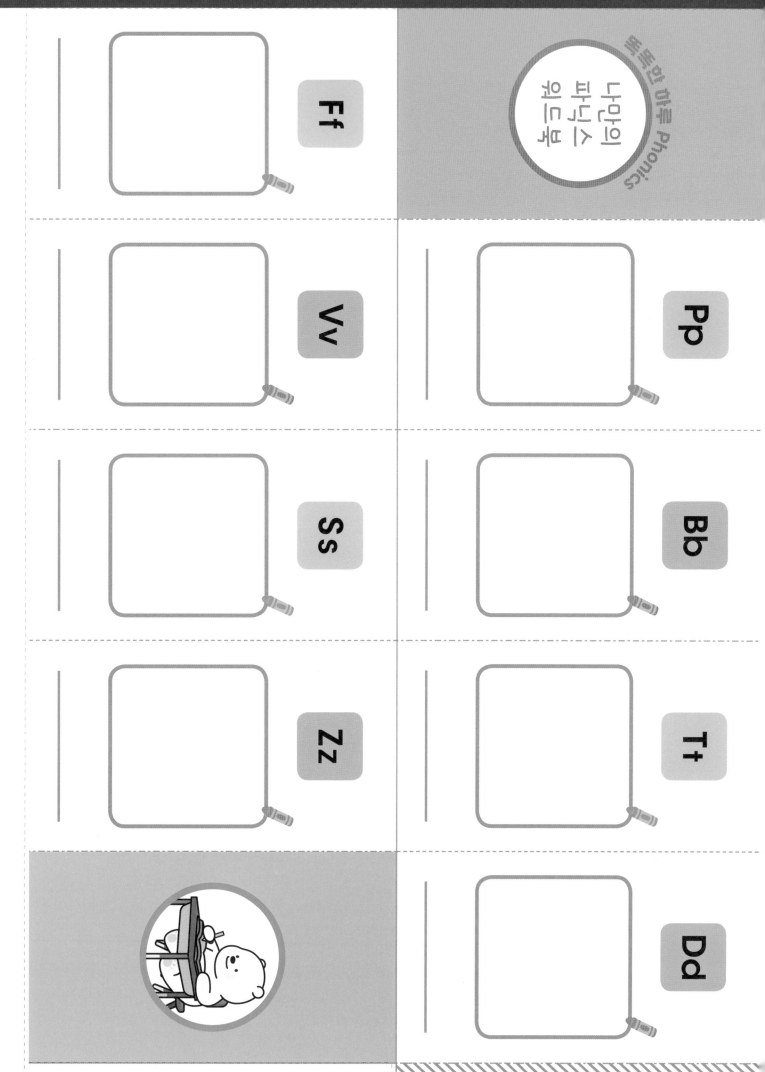

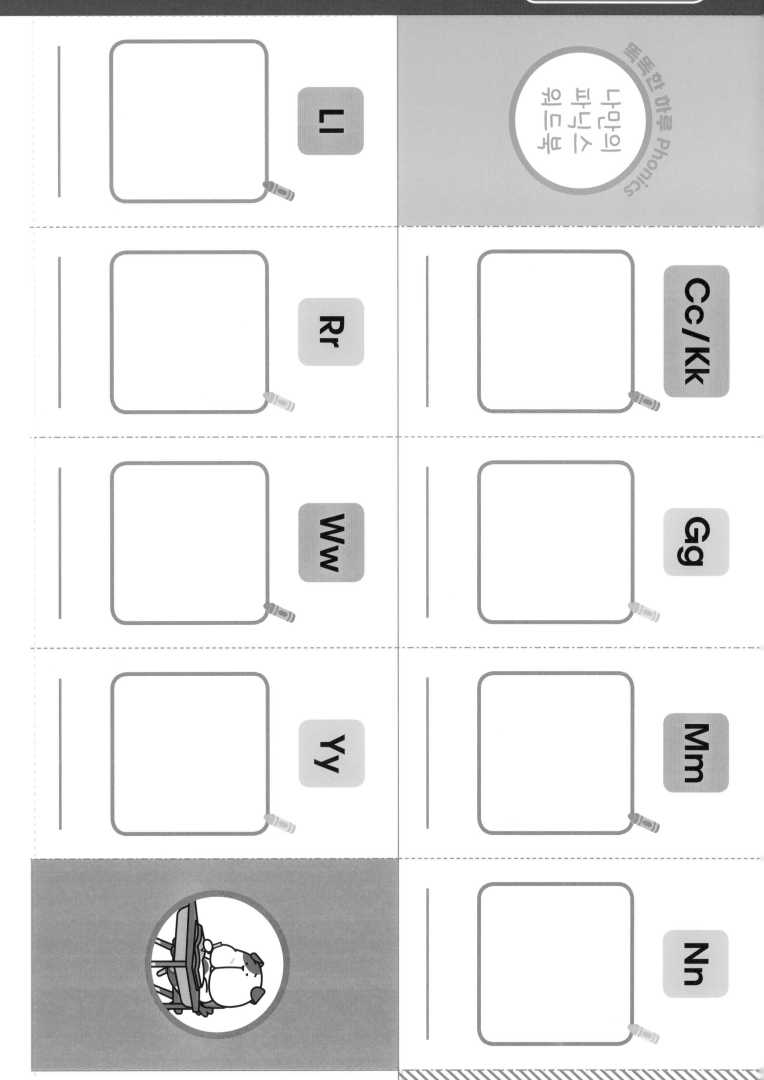

똑똑한 하루 Phonics

나만의 스마트 워드북

Ll

Rr

Ww

Yy

Cc/Kk

Gg

Mm

Nn

붙임 딱지

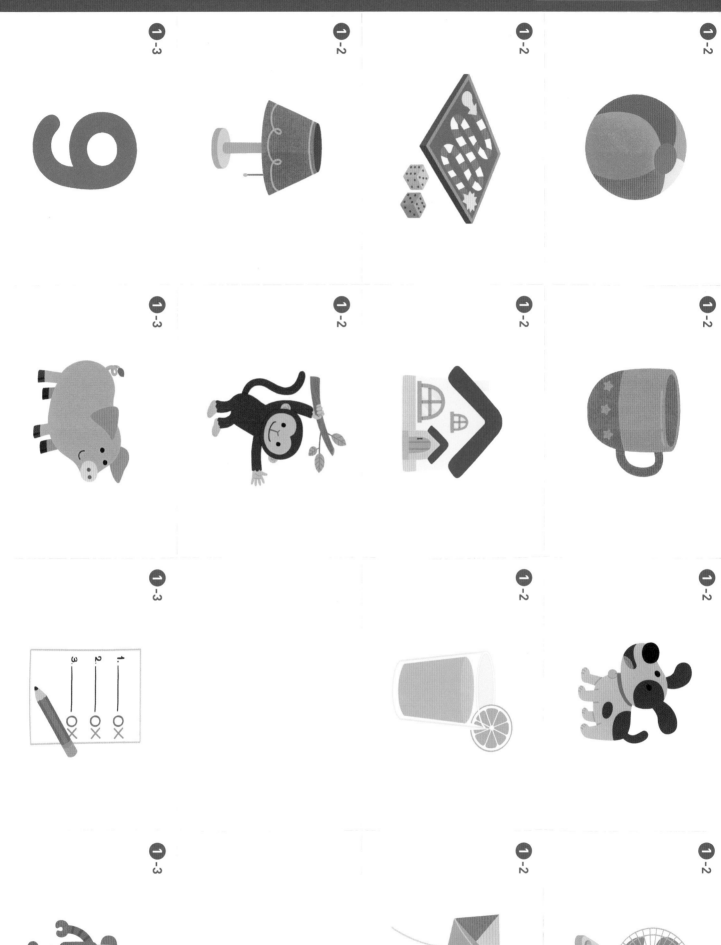

B ball

C cup

D dog

F fan

G game

H house

J juice

K kite

L lamp

M monkey

N nine

P pig

Q quiz

R robot

S sun

X fox

A ant

U umbrella

T tent

Y yellow

E egg

V van

Z zoo

I ink

W web

O ox

B bear	**B** book	**B** panda	**P** pink
D door	**D** duck	**T** turtle	**T** toy
V vase	**V** vet	**F** five	**F** fish
Z zipper	**Z** zero	**S** sock	**S** sea

G	gift	G	gate	K	key	C	coat
N	nest	N	net	M	mouse	M	mom
R	rose	R	ring	L	leaf	L	log
Y	yogurt	Y	yacht	W	water	W	wolf

1주 1일 10~11쪽

Bb Dd Ff Hh Kk

Mm Oo Qq Ss Uu

Ww Yy

1주 1일 15쪽

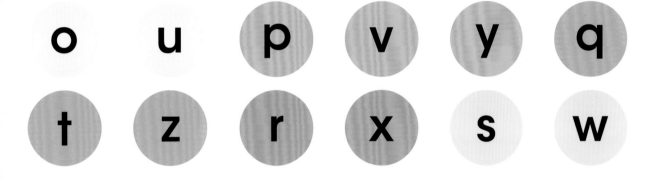

o u p v y q

t z r x s w

1주 2일 17쪽

b c d f g

h j k l m

1주 3일 21쪽

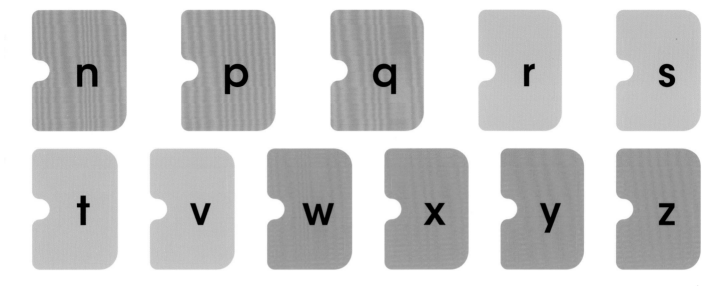

1주 4일 25쪽

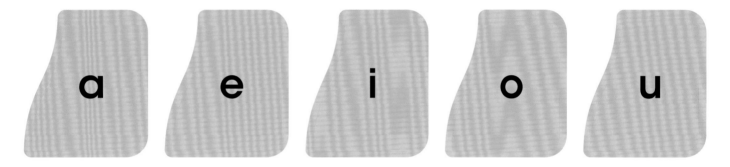

2주 1일 42~43쪽

2주 1일 46쪽

Pp Pp Bb Bb

2주 3일 54쪽

Ff Ff Vv Vv

2주 특강 69쪽

z
p
s
t
p
v
t

3주 1일 74~75쪽

w   y
m   n
k   g
l   r

3주 1일 78쪽

Cc   Kk
Gg   Gg

3주 3일 86쪽

Ll   Ll
Rr   Rr

3주 특강 102쪽

wolf   rose   key   coat   mom

복습 109쪽

Ss   Gg   Dd   Vv   Zz   Kk   Tt   Ff

친절한 말은 아주 짧기 때문에
말하기가 쉽다.

하지만 그 말의 메아리는 무궁무진하게
울려 퍼지는 법이다.

Kind words can be short and easy to speak,
but their echoes are truly endless.

테레사 수녀

친절한 말, 따뜻한 말 한마디는 누군가에게 커다란 힘이 될 수도 있어요.
나쁜 말 대신 좋은 말을 하게 되면 언젠가 나에게 보답으로 돌아온답니다.
앞으로 나쁘고 거친 말 대신 좋고 예쁜 말만 쓰기로 우리 약속해요!

멀 좋아할지 몰라
다 준비했어♥
전과목 교재

전과목 시리즈 교재

●무등생 해법시리즈
– 국어/수학		1~6학년, 학기용
– 사회/과학		3~6학년, 학기용
– 봄·여름/가을·겨울		1~2학년, 학기용
– SET(전과목/국수, 국사과)		1~6학년, 학기용

●똑똑한 하루 시리즈
– 똑똑한 하루 독해	예비초~6학년, 총 14권
– 똑똑한 하루 글쓰기	예비초~6학년, 총 14권
– 똑똑한 하루 어휘	예비초~6학년, 총 14권
– 똑똑한 하루 수학	1~6학년, 학기용
– 똑똑한 하루 계산	예비초~6학년, 총 14권
– 똑똑한 하루 사고력	1~6학년, 학기용
– 똑똑한 하루 도형	예비초~6학년, 단계별
– 똑똑한 하루 사회/과학	3~6학년, 학기용
– 똑똑한 하루 봄/여름/가을/겨울	1~2학년, 총 8권
– 똑똑한 하루 안전	1~2학년, 총 2권
– 똑똑한 하루 Voca	3~6학년, 학기용
– 똑똑한 하루 Reading	초3~초6, 학기용
– 똑똑한 하루 Grammar	초3~초6, 학기용
– 똑똑한 하루 Phonics	예비초~초등, 총 8권

●초등 문해력 독해가 힘이다
– 비문학편	3~6학년, 단계별

영어 교재

●초등영어 교과서 시리즈
파닉스(1~4단계)	3~6학년, 학년용
회화(입문1~2, 1~6단계)	3~6학년, 학기용
영단어(1~4단계)	3~6학년, 학년용

●셀파 English(어휘/회화/문법)	3~6학년
●Reading Farm(Level 1~4)	3~6학년
●Grammar Town(Level 1~4)	3~6학년
●LOOK BOOK 영단어	3~6학년, 단행본
●원서 읽는 LOOK BOOK 영단어	3~6학년, 단행본
●멘토 Story Words	2~6학년, 총 6권

똑똑한 하루 Phonics

정답 ✦

매일매일
쌓이는
영어 기초력

1A
자음과 모음

천재교육

book.chunjae.co.kr

10~11쪽

1주 미리보기

1주 이번 주에는 무엇을 배울까? ❷

▶정답 1쪽

알맞은 스티커를 붙이고 Aa~Zz까지 순서대로 읽어 보세요.

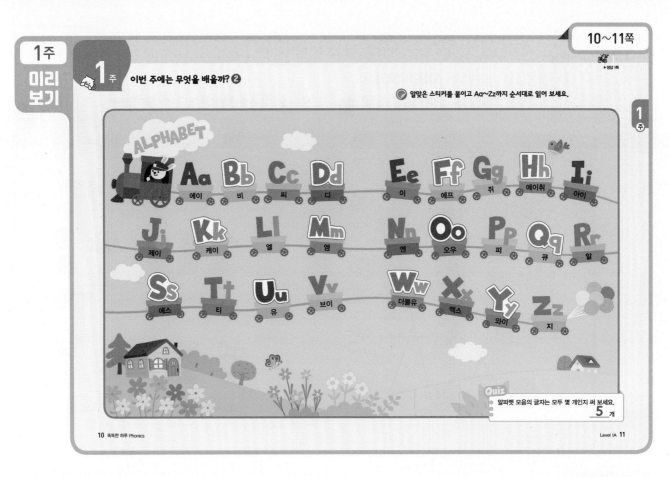

ALPHABET

Aa 에이　Bb 비　Cc 씨　Dd 디　Ee 이　Ff 에프　Gg 쥐　Hh 에이취　Ii 아이

Jj 제이　Kk 케이　Ll 엘　Mm 엠　Nn 엔　Oo 오우　Pp 피　Qq 큐　Rr 알

Ss 에스　Tt 티　Uu 유　Vv 브이　Ww 더블유　Xx 엑스　Yy 와이　Zz 지

Quiz
알파벳 모음의 글자는 모두 몇 개인지 써 보세요.
__5__ 개

10 똑똑한 하루 Phonics　　Level 1A 11

14~15쪽

1주 1일

1일 PHONICS 알파벳 익히기 ❷

▶정답 1쪽

Ⓐ 짝이 되는 소문자를 찾아 선으로 연결해 보세요.

Ⓑ 짝이 되는 소문자 스티커를 찾아 붙여 보세요.

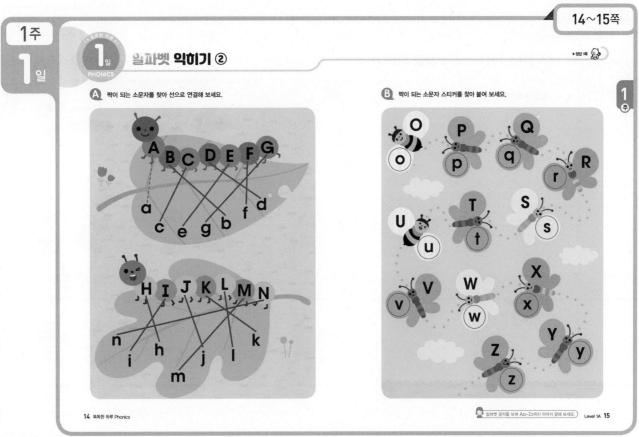

알파벳 글자를 보며 Aa~Zz까지 이어서 말해 보세요.

14 똑똑한 하루 Phonics　　Level 1A 15

1주 2일

2일 PHONICS Bb~Mm 자음 익히기 ②

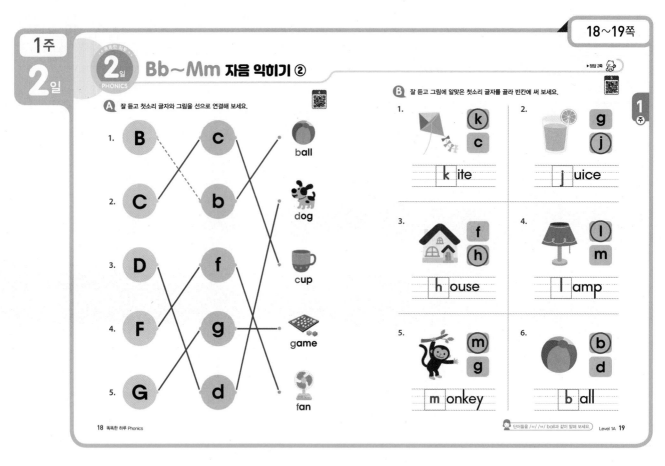

A 잘 듣고 첫소리 글자와 그림을 선으로 연결해 보세요.

1. B — c — ball
2. C — b — dog
3. D — f — cup
4. F — g — game
5. G — d — fan

B 잘 듣고 그림에 알맞은 첫소리 글자를 골라 빈칸에 써 보세요.

1. k / c → **k** ite
2. g / j → **j** uice
3. f / h → **h** ouse
4. l / m → **l** amp
5. m / g → **m** onkey
6. b / d → **b** all

18 똑똑한 하루 Phonics

단어들을 /ㅂ/ /ㅋ/ ball과 같이 말해 보세요. Level 1A 19

1주 3일

3일 PHONICS Nn~Zz 자음 익히기 ②

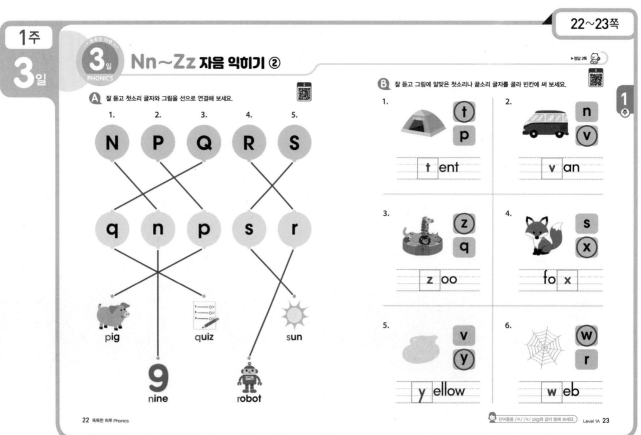

A 잘 듣고 첫소리 글자와 그림을 선으로 연결해 보세요.

1. N 2. P 3. Q 4. R 5. S

q n p s r

pig   quiz   sun   9 nine   robot

B 잘 듣고 그림에 알맞은 첫소리나 끝소리 글자를 골라 빈칸에 써 보세요.

1. t / p → **t** ent
2. n / v → **v** an
3. z / q → **z** oo
4. s / x → fo **x**
5. v / y → **y** ellow
6. w / r → **w** eb

22 똑똑한 하루 Phonics

단어들을 /ㅍ/ /ㅁ/ pig와 같이 말해 보세요. Level 1A 23

26~27쪽

1주 4일

4일 PHONICS a, e, i, o, u 모음 익히기 ②

▶정답 3쪽

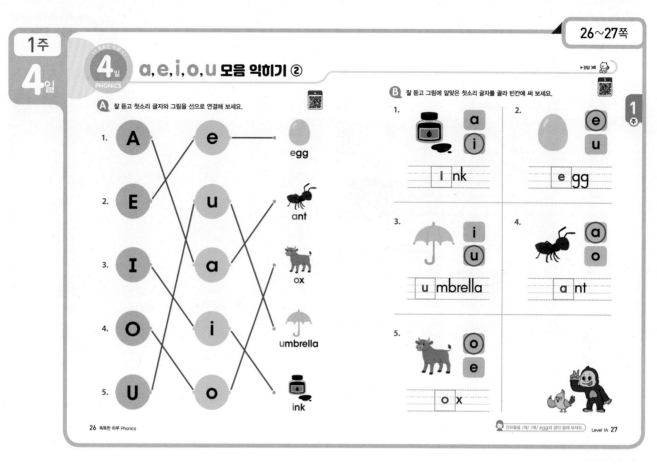

A 잘 듣고 첫소리 글자와 그림을 선으로 연결해 보세요.

1. A — e · egg
2. E — u · ant
3. I — a · ox
4. O — i · umbrella
5. U — o · ink

B 잘 듣고 그림에 알맞은 첫소리 글자를 골라 빈칸에 써 보세요.

1. (i) — i nk
2. (e) — e gg
3. (u) — u mbrella
4. (a) — a nt
5. (o) — o x

26 똑똑한 하루 Phonics

단어들을 /에/ /에/ egg와 같이 말해 보세요. · Level 1A 27

28~29쪽

1주 복습

5일 Review 알파벳 복습

공부한 날   월   일

▶정답 3쪽

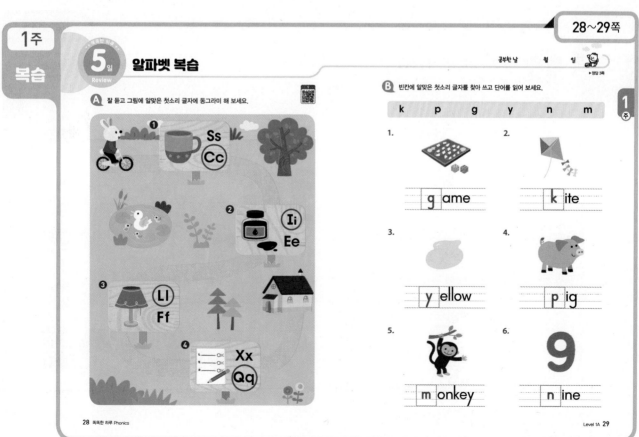

A 잘 듣고 그림에 알맞은 첫소리 글자에 동그라미 해 보세요.

① Ss / (Cc)
② (Ii) / Ee
③ (Ll) / Ff
④ Xx / (Qq)

B 빈칸에 알맞은 첫소리 글자를 찾아 쓰고 단어를 읽어 보세요.

| k | p | g | y | n | m |

1. g ame
2. k ite
3. y ellow
4. p ig
5. m onkey
6. n ine

28 똑똑한 하루 Phonics

Level 1A 29

정답 **3**

5일 Review **Story Time**

▶정답 4쪽

A 이야기를 들으며 따라 읽어 보세요.

1. I am in the house.
2. I am in the van.
3. I am in the tent.
4. Good morning, Sun!

Sight Word — in을 찾아라!

B in을 찾아 색칠해 보세요.

on / is / in / an / in / in / am / in / at

• in은 '~ 안에'라는 뜻이에요.
• in은 모두 몇 개인가요? 5 개

30 똑똑한 하루 Phonics

Level 1A 31

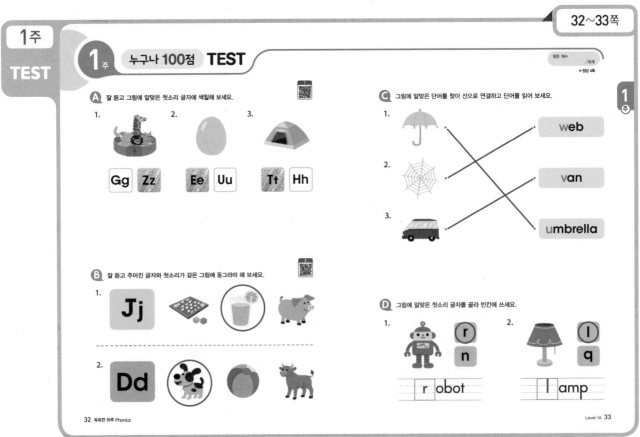

1주 TEST

1주 누구나 100점 **TEST**

맞은 개수 /10개
▶정답 4쪽

A 잘 듣고 그림에 알맞은 첫소리 글자에 색칠해 보세요.

1. Gg Zz
2. Ee Uu
3. Tt Hh

B 잘 듣고 주어진 글자와 첫소리가 같은 그림에 동그라미 해 보세요.

1. Jj
2. Dd

C 그림에 알맞은 단어를 찾아 선으로 연결하고 단어를 읽어 보세요.

1. web
2. van
3. umbrella

D 그림에 알맞은 첫소리 글자를 골라 빈칸에 쓰세요.

1. r / n   r obot
2. l / q   l amp

32 똑똑한 하루 Phonics

Level 1A 33

4 정답

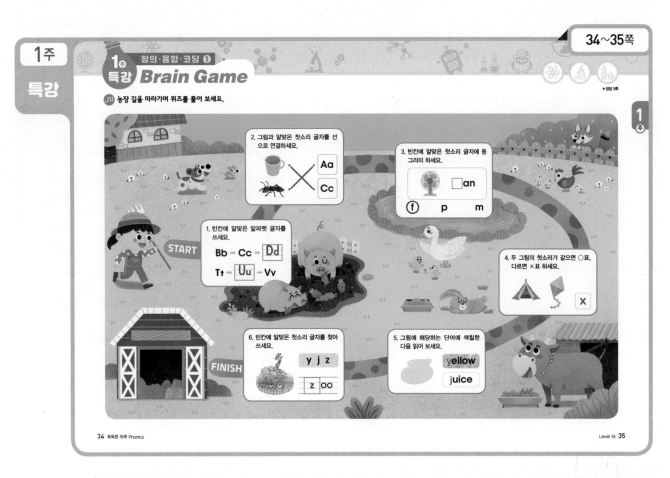

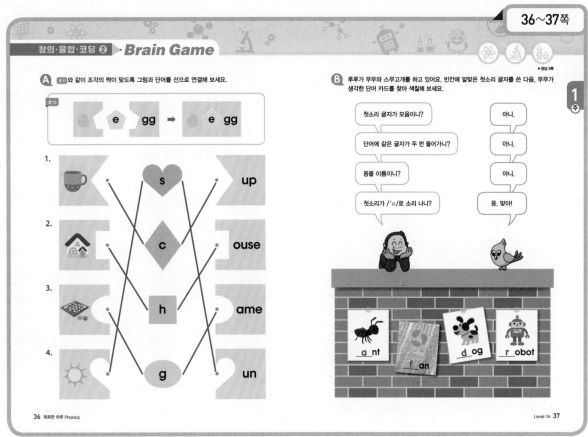

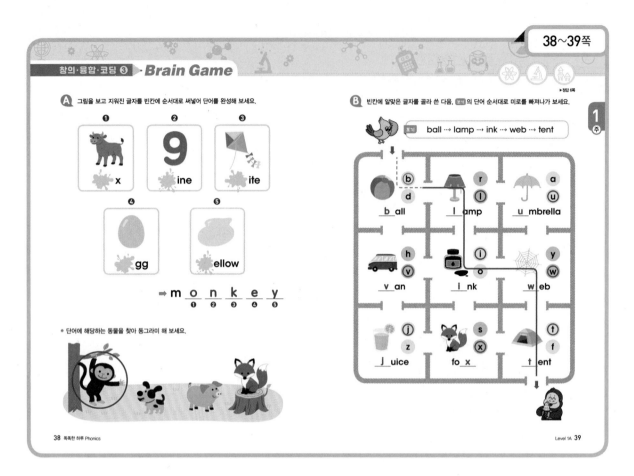

38~39쪽

창의·융합·코딩 ❸ **Brain Game**

Ⓐ 그림을 보고 지워진 글자를 빈칸에 순서대로 써넣어 단어를 완성해 보세요.

❶ x
❷ ine
❸ ite
❹ gg
❺ ellow

→ m o n k e y
   ❶ ❷ ❸ ❹ ❺

* 단어에 해당하는 동물을 찾아 동그라미 해 보세요.

Ⓑ 빈칸에 알맞은 글자를 골라 쓴 다음, 보기의 단어 순서대로 미로를 빠져나가 보세요.

보기 ball ⟶ lamp ⟶ ink ⟶ web ⟶ tent

b all   l amp   u mbrella
v an   i nk   w eb
j uice   fo x   t ent

38 똑똑한 하루 Phonics

Level 1A 39

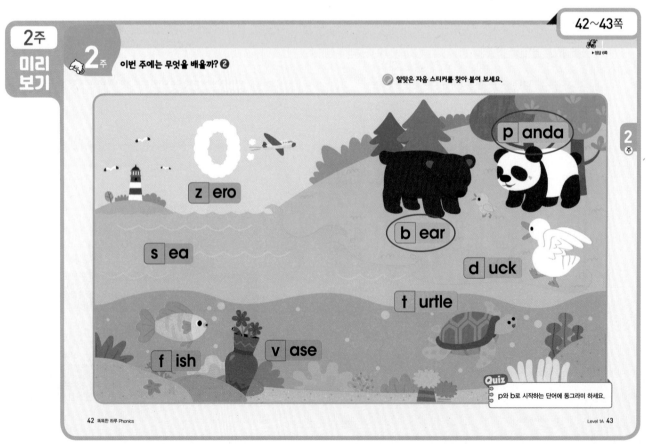

42~43쪽

2주
미리
보기

2주 이번 주에는 무엇을 배울까? ❷

알맞은 자음 스티커를 찾아 붙여 보세요.

z ero
s ea
f ish
v ase
b ear
t urtle
d uck
p anda

Quiz
p와 b로 시작하는 단어에 동그라미 하세요.

42 똑똑한 하루 Phonics

Level 1A 43

2주 1일

46~47쪽

1일 PHONICS Pp와 Bb 소리 익히기

▶정답 7쪽

A 잘 듣고 사다리를 타고 내려가서 첫소리 글자 스티커를 붙여 보세요.

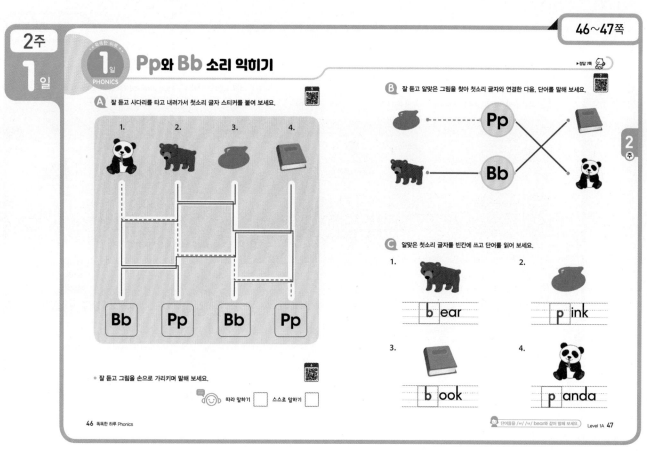

B 잘 듣고 알맞은 그림을 찾아 첫소리 글자와 연결한 다음, 단어를 말해 보세요.

* 잘 듣고 그림을 손으로 가리키며 말해 보세요.

😊 따라 말하기 ☐   스스로 말하기 ☐

C 알맞은 첫소리 글자를 빈칸에 쓰고 단어를 읽어 보세요.

1. b ear
2. p ink
3. b ook
4. p anda

46 똑똑한 하루 Phonics

단어들을 /ㅂ/ /ㅂ/ bear와 같이 말해 보세요.   Level 1A 47

2주 2일

50~51쪽

2일 PHONICS Tt와 Dd 소리 익히기

▶정답 7쪽

A 잘 듣고 그림에 알맞은 첫소리 글자에 색칠해 보세요.

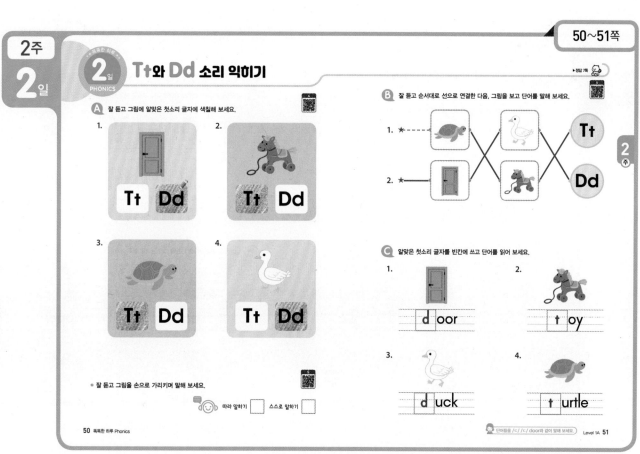

1. Tt **Dd**
2. **Tt** Dd
3. **Tt** Dd
4. Tt **Dd**

B 잘 듣고 순서대로 선으로 연결한 다음, 그림을 보고 단어를 말해 보세요.

1. ★ --- Tt
2. ★ --- Dd

* 잘 듣고 그림을 손으로 가리키며 말해 보세요.

😊 따라 말하기 ☐   스스로 말하기 ☐

C 알맞은 첫소리 글자를 빈칸에 쓰고 단어를 읽어 보세요.

1. d oor
2. t oy
3. d uck
4. t urtle

50 똑똑한 하루 Phonics

단어들을 /ㄷ/ /ㅌ/ door와 같이 말해 보세요.   Level 1A 51

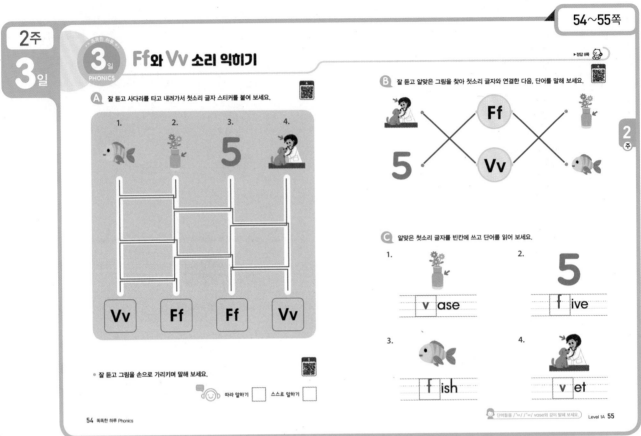

2주 3일

3일 Ff와 Vv 소리 익히기

A 잘 듣고 사다리를 타고 내려가서 첫소리 글자 스티커를 붙여 보세요.

| 1. | 2. | 3. | 4. |

Vv | Ff | Ff | Vv

• 잘 듣고 그림을 손으로 가리키며 말해 보세요.

따라 말하기 ☐   스스로 말하기 ☐

54 똑똑한 하루 Phonics

B 잘 듣고 알맞은 그림을 찾아 첫소리 글자와 연결한 다음, 단어를 말해 보세요.

Ff   Vv

C 알맞은 첫소리 글자를 빈칸에 쓰고 단어를 읽어 보세요.

1. v ase
2. f ive
3. f ish
4. v et

Level 1A 55

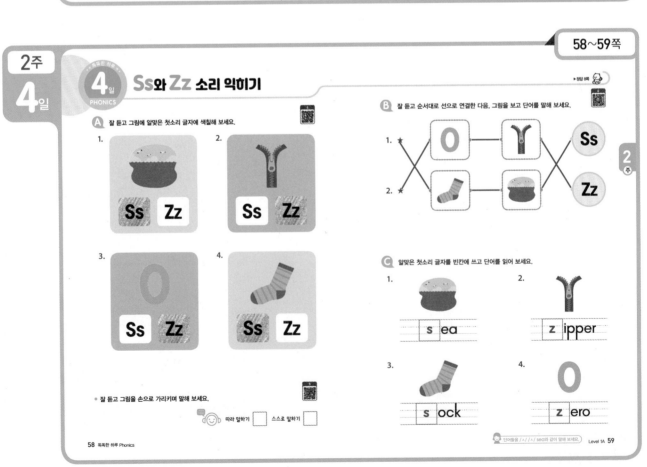

2주 4일

4일 Ss와 Zz 소리 익히기

A 잘 듣고 그림에 알맞은 첫소리 글자에 색칠해 보세요.

1. Ss Zz
2. Ss Zz
3. Ss Zz
4. Ss Zz

• 잘 듣고 그림을 손으로 가리키며 말해 보세요.

따라 말하기 ☐   스스로 말하기 ☐

58 똑똑한 하루 Phonics

B 잘 듣고 순서대로 선으로 연결한 다음, 그림을 보고 단어를 말해 보세요.

Ss   Zz

C 알맞은 첫소리 글자를 빈칸에 쓰고 단어를 읽어 보세요.

1. s ea
2. z ipper
3. s ock
4. z ero

Level 1A 59

2주 복습

5일 Review

p-b, t-d, f-v, s-z 복습

공부한 날   월   일

▶정답 9쪽

60~61쪽

A 잘 듣고 그림에 알맞은 첫소리 글자에 동그라미 해 보세요.

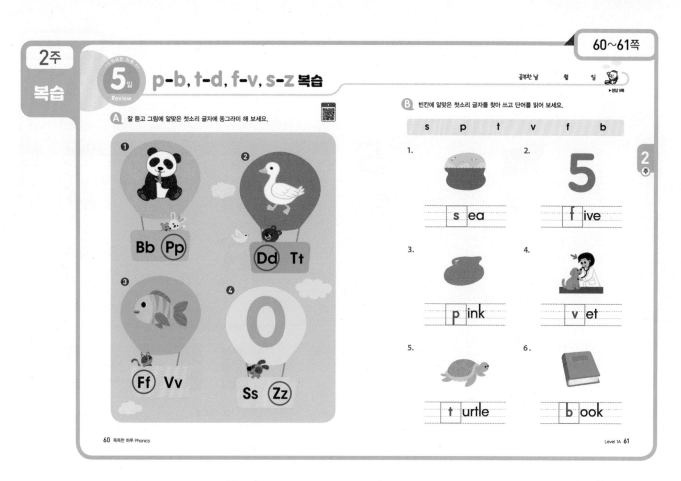

B 빈칸에 알맞은 첫소리 글자를 찾아 쓰고 단어를 읽어 보세요.

s	p	t	v	f	b

1. s ea
2. f ive
3. p ink
4. v et
5. t urtle
6. b ook

62~63쪽

5일 Review

Story Time

Sight Word

▶정답 9쪽

where를 찾아라!

A 이야기를 들으며 따라 읽어 보세요.

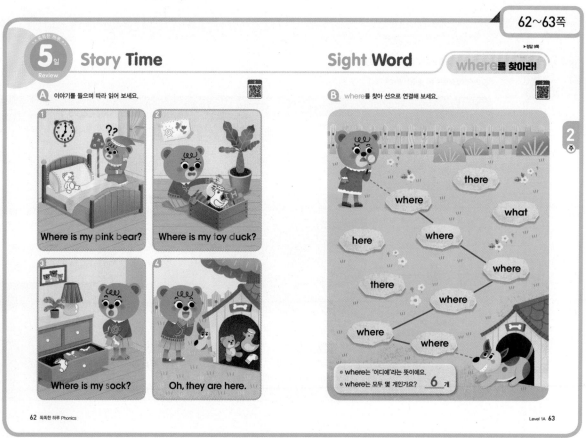

Where is my pink bear?

Where is my toy duck?

Where is my sock?

Oh, they are here.

B where를 찾아 선으로 연결해 보세요.

there
where
what
here
where
there
where
where
where
where

• where는 '어디에'라는 뜻이에요.
• where는 모두 몇 개인가요? 6 개

2주 TEST

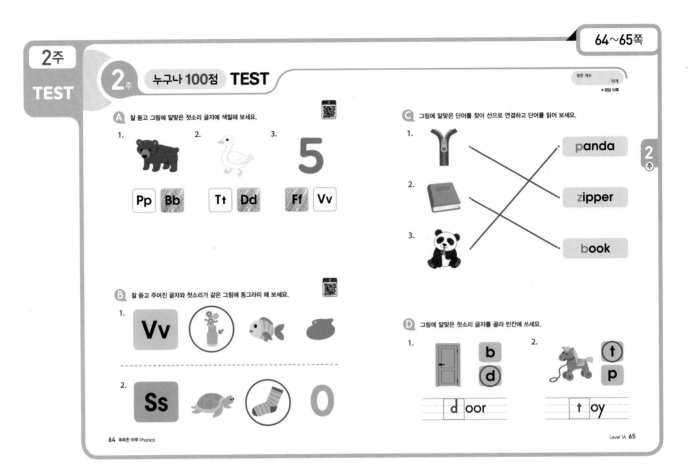

2주 특강 · 창의·융합·코딩 ① Brain Game

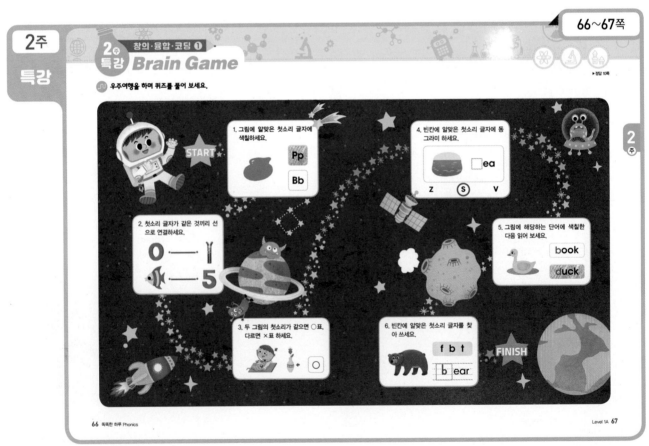

68~69쪽

창의·융합·코딩 ❷ ▶ Brain Game

▶정답 11쪽

A 빈칸에 알맞은 첫소리 글자가 나머지와 다른 하나를 찾아 ×표 해 보세요.

B 그림에 알맞은 첫소리 글자를 쓴 다음, 스티커를 찾아 붙어 보세요.

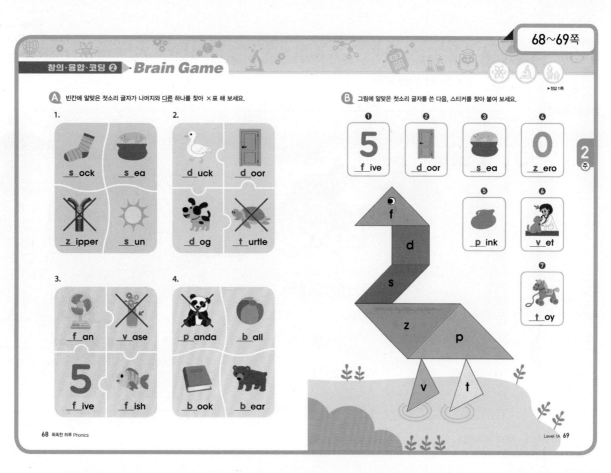

1.
s_ock s_ea
z_ipper s_un

2.
d_uck d_oor
d_og t_urtle

3.
f_an v_ase
f_ive f_ish

4.
p_anda b_all
b_ook b_ear

❶ 5 f_ive
❷ d_oor
❸ s_ea
❹ 0 z_ero
❺ p_ink
❻ v_et
❼ t_oy

f
d
s
z
p
v t

2주

70~71쪽

창의·융합·코딩 ❸ ▶ Brain Game

▶정답 11쪽

A 조각을 바르게 배열하면 어떤 그림이 나오나요? 빈칸에 알맞은 첫소리 글자를 써 보세요.

B 암호 힌트를 보고 퀴즈의 정답을 완성한 다음, 해당하는 그림에 동그라미 해 보세요.

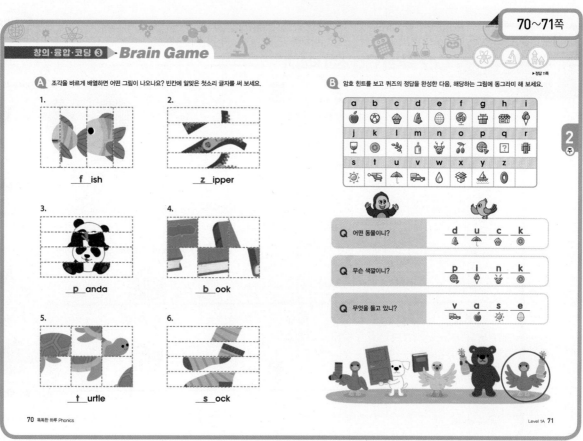

1. f_ish
2. z_ipper
3. p_anda
4. b_ook
5. t_urtle
6. s_ock

a	b	c	d	e	f	g	h	i
j	k	l	m	n	o	p	q	r
s	t	u	v	w	x	y	z	

Q 어떤 동물이니? d u c k
Q 무슨 색깔이니? p i n k
Q 무엇을 들고 있니? v a s e

2주

3주 미리보기

3주 이번 주에는 무엇을 배울까? ❷

알맞은 자음 스티커를 찾아 붙여 보세요.

y acht   w olf   k ey   g ate   m ouse   l og   n est   r ose

Quiz
새가 물고 있는 물건의 이름에 동그라미 하세요.

74 똑똑한 하루 Phonics

Level 1A 75

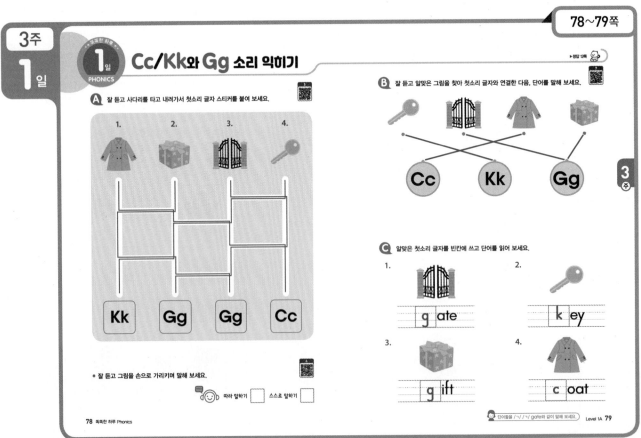

3주 1일

1일 PHONICS
Cc/Kk와 Gg 소리 익히기

▶정답 12쪽

Ⓐ 잘 듣고 사다리를 타고 내려가서 첫소리 글자 스티커를 붙여 보세요.

1.   2.   3.   4.

Kk   Gg   Gg   Cc

• 잘 듣고 그림을 손으로 가리키며 말해 보세요.

따라 말하기 ☐   스스로 말하기 ☐

Ⓑ 잘 듣고 알맞은 그림을 찾아 첫소리 글자와 연결한 다음, 단어를 말해 보세요.

Cc   Kk   Gg

Ⓒ 알맞은 첫소리 글자를 빈칸에 쓰고 단어를 읽어 보세요.

1. g ate   2. k ey
3. g ift   4. c oat

단어들을 /ㄱ/ /ㅋ/ /ㄱ/ gate와 같이 말해 보세요.

78 똑똑한 하루 Phonics

Level 1A 79

12 정답

3주 2일

2일 PHONICS Mm과 Nn 소리 익히기

▶정답 13쪽

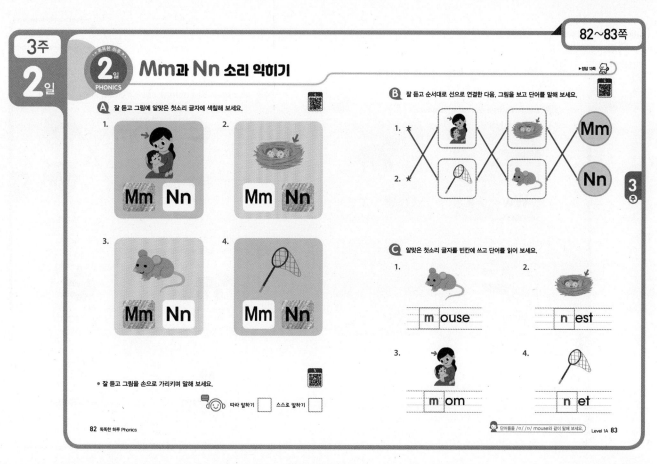

A 잘 듣고 그림에 알맞은 첫소리 글자에 색칠해 보세요.

1. **Mm** Nn
2. Mm **Nn**
3. **Mm** Nn
4. Mm **Nn**

• 잘 듣고 그림을 손으로 가리키며 말해 보세요.

따라 말하기 ☐ 스스로 말하기 ☐

82 똑똑한 하루 Phonics

B 잘 듣고 순서대로 선으로 연결한 다음, 그림을 보고 단어를 말해 보세요.

1. ★
2. ★

Mm
Nn

C 알맞은 첫소리 글자를 빈칸에 쓰고 단어를 읽어 보세요.

1. **m** ouse
2. **n** est
3. **m** om
4. **n** et

단어들을 /ㅁ/ /ㅁ/ mouse와 같이 말해 보세요. Level 1A 83

3주 3일

3일 PHONICS Ll과 Rr 소리 익히기

▶정답 13쪽

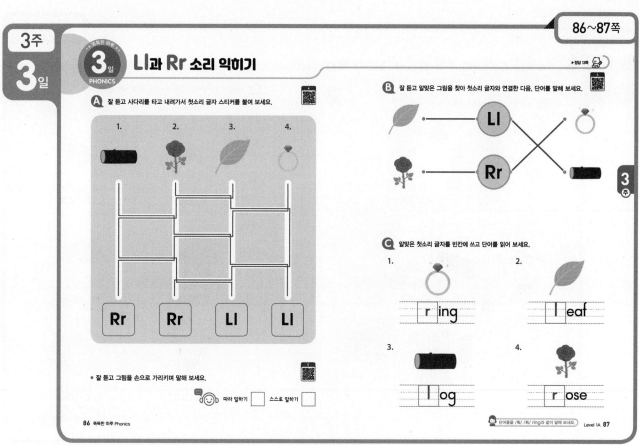

A 잘 듣고 사다리를 타고 내려가서 첫소리 글자 스티커를 붙여 보세요.

1. 2. 3. 4.

Rr **Rr** **Ll** **Ll**

• 잘 듣고 그림을 손으로 가리키며 말해 보세요.

따라 말하기 ☐ 스스로 말하기 ☐

86 똑똑한 하루 Phonics

B 잘 듣고 알맞은 그림을 찾아 첫소리 글자와 연결한 다음, 단어를 말해 보세요.

Ll
Rr

C 알맞은 첫소리 글자를 빈칸에 쓰고 단어를 읽어 보세요.

1. **r** ing
2. **l** eaf
3. **l** og
4. **r** ose

단어들을 /ㄹ/ /ㄹ/ ring과 같이 말해 보세요. Level 1A 87

3주 4일

4일 PHONICS Ww와 Yy 소리 익히기

▶정답 14쪽

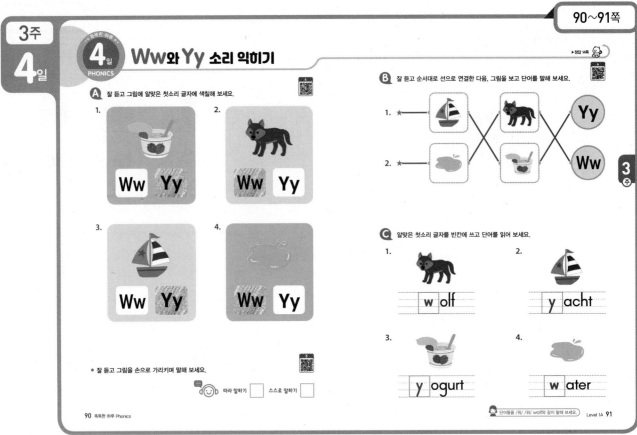

Ⓐ 잘 듣고 그림에 알맞은 첫소리 글자에 색칠해 보세요.

1. Ww **Yy**
2. **Ww** Yy
3. **Ww** Yy
4. Ww **Yy**

* 잘 듣고 그림을 손으로 가리키며 말해 보세요.

따라 말하기 □ 스스로 말하기 □

Ⓑ 잘 듣고 순서대로 선으로 연결한 다음, 그림을 보고 단어를 말해 보세요.

1. ★
2. ★

Yy
Ww

Ⓒ 알맞은 첫소리 글자를 빈칸에 쓰고 단어를 읽어 보세요.

1. **w** olf
2. **y** acht
3. **y** ogurt
4. **w** ater

단어들을 /워/ /워/ wolf와 같이 말해 보세요. Level 1A **91**

3주 복습

5일 Review c/k-g, m-n, l-r, w-y 복습

공부한 날 월 일

▶정답 14쪽

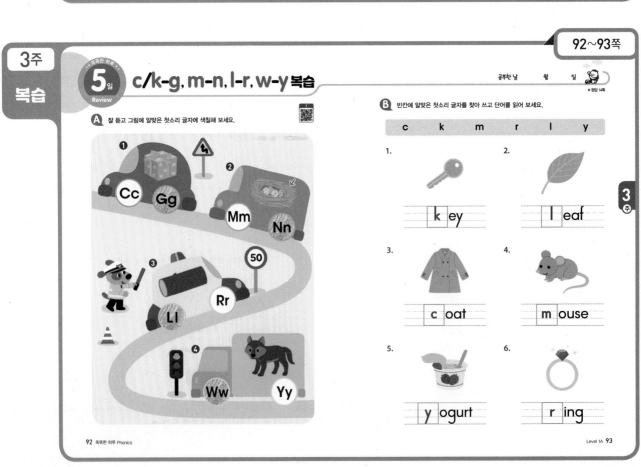

Ⓐ 잘 듣고 그림에 알맞은 첫소리 글자에 색칠해 보세요.

❶ Cc Gg
❷ Mm Nn
❸ Ll Rr
❹ Ww Yy

50

Ⓑ 빈칸에 알맞은 첫소리 글자를 찾아 쓰고 단어를 읽어 보세요.

c k m r l y

1. **k** ey
2. **l** eaf
3. **c** oat
4. **m** ouse
5. **y** ogurt
6. **r** ing

Level 1A **93**

94~95쪽

5일 Review **Story Time**

Sight Word see를 찾아라!

▶정답 15쪽

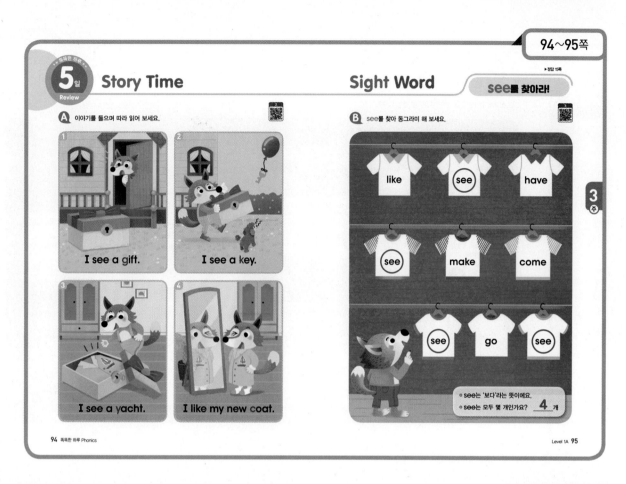

Ⓐ 이야기를 들으며 따라 읽어 보세요.

1. I see a gift.
2. I see a key.
3. I see a yacht.
4. I like my new coat.

Ⓑ see를 찾아 동그라미 해 보세요.

like · (see) · have
(see) · make · come
· (see) · go · (see)

• see는 '보다'라는 뜻이에요.
• see는 모두 몇 개인가요? **4** 개

96~97쪽

3주 **TEST**

3주 누구나 100점 **TEST**

맞은 개수 /10개
▶정답 15쪽

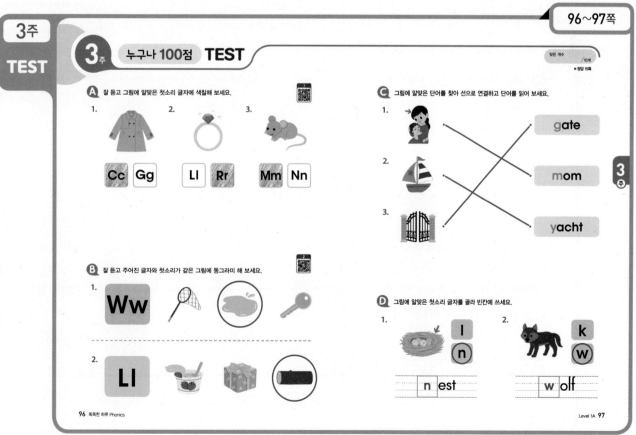

Ⓐ 잘 듣고 그림에 알맞은 첫소리 글자에 색칠해 보세요.

1. Cc Gg
2. Ll Rr
3. Mm Nn

Ⓑ 잘 듣고 주어진 글자와 첫소리가 같은 그림에 동그라미 해 보세요.

1. **Ww**
2. **Ll**

Ⓒ 그림에 알맞은 단어를 찾아 선으로 연결하고 단어를 읽어 보세요.

1. — mom
2. — yacht
3. — gate

Ⓓ 그림에 알맞은 첫소리 글자를 골라 빈칸에 쓰세요.

1. l / (n)   n est
2. k / (w)   w olf

98~99쪽

3주
특강

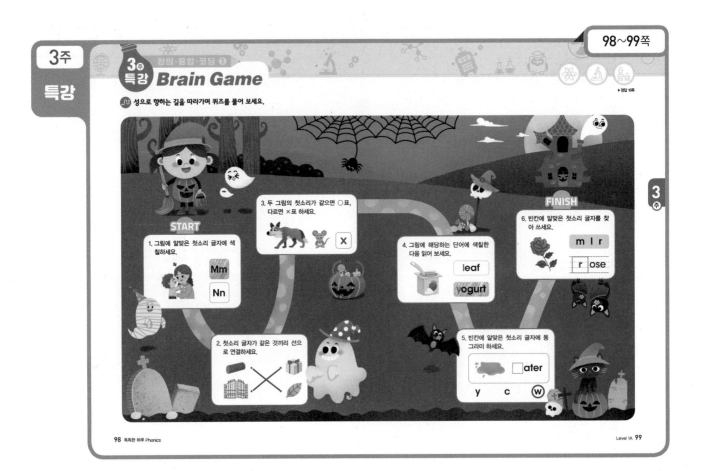

100~101쪽

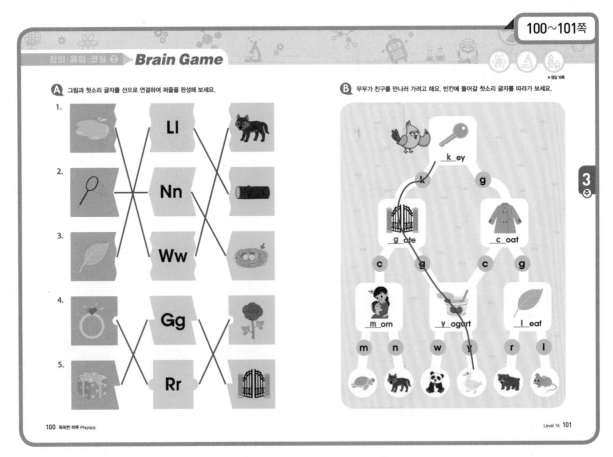

102~103쪽

창의·융합·코딩 ❸ **Brain Game**

▶정답 17쪽

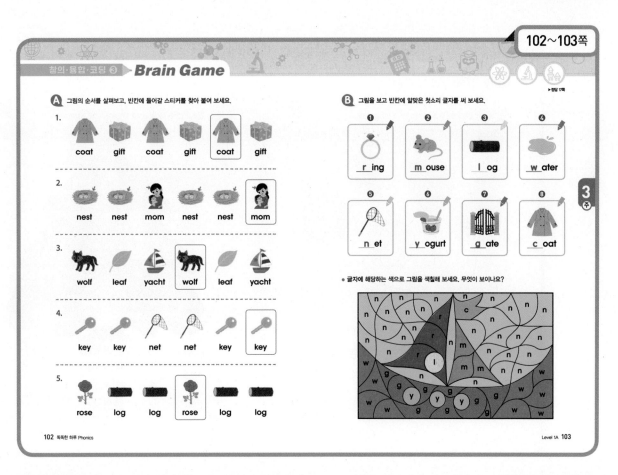

Ⓐ 그림의 순서를 살펴보고, 빈칸에 들어갈 스티커를 찾아 붙여 보세요.

1. coat gift coat gift coat gift

2. nest nest mom nest nest mom

3. wolf leaf yacht wolf leaf yacht

4. key key net net key key

5. rose log log rose log log

Ⓑ 그림을 보고 빈칸에 알맞은 첫소리 글자를 써 보세요.

❶ r ing ❷ m ouse ❸ l og ❹ w ater

❺ n et ❻ y ogurt ❼ g ate ❽ c oat

● 글자에 해당하는 색으로 그림을 색칠해 보세요. 무엇이 보이나요?

102 똑똑한 하루 Phonics
Level 1A 103

104~105쪽

복습

1A 복습

기초 탄탄 Review

▶정답 17쪽

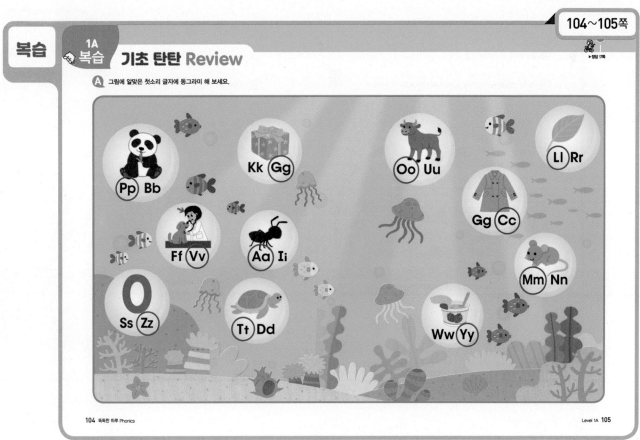

Ⓐ 그림에 알맞은 첫소리 글자에 동그라미 해 보세요.

Pp Bb
Kk Gg
Oo Uu
Ll Rr
Ff Vv
Aa Ii
Gg Cc
O Ss Zz
Tt Dd
Mm Nn
Ww Yy

104 똑똑한 하루 Phonics
Level 1A 105

106~107쪽

신유형·신경향
이해 쏙쏙 Activity

A 잘 듣고 알맞은 첫소리 글자를 찾아 선으로 연결해 보세요.

B 잘 듣고 알맞은 첫소리 글자를 찾아 상자 색으로 색칠해 보세요.

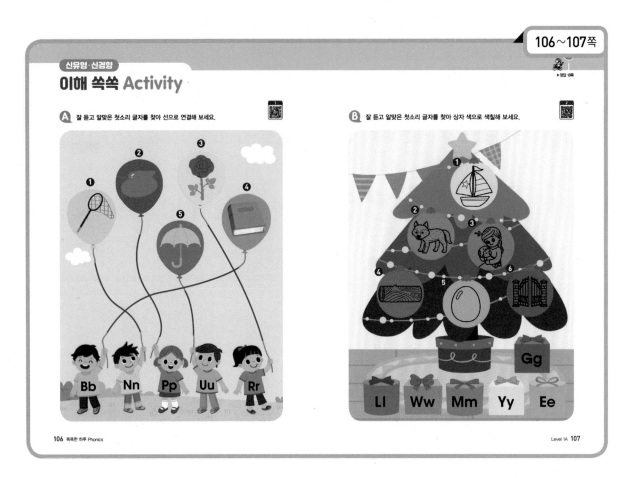

108~109쪽

신유형·신경향
이해 쏙쏙 Activity

C 잘 듣고 알맞은 첫소리 글자에 동그라미 하며 연못을 건너가 보세요.

D 잘 듣고 알맞은 첫소리 글자의 스티커를 찾아 붙여 보세요.

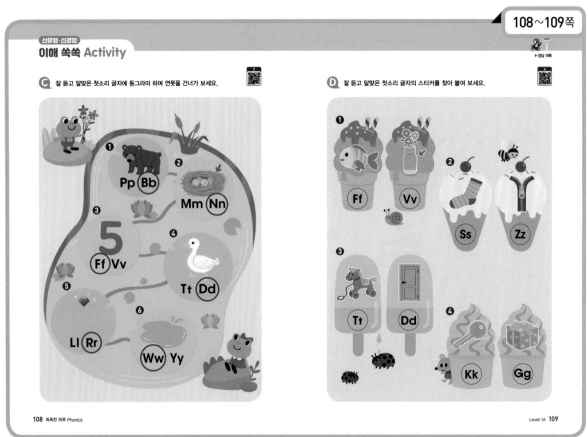

110~111쪽

1A 복습 실력 쑥쑥 TEST ❶

▶정답 19쪽

A 잘 듣고 알맞은 첫소리 글자를 찾아 선으로 연결해 보세요.

B 잘 듣고 알맞은 그림과 첫소리 글자를 찾아 동그라미 해 보세요.

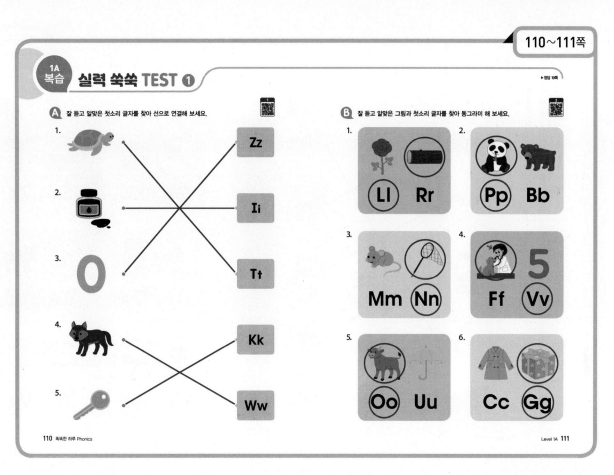

112~113쪽

1A 복습 실력 쑥쑥 TEST ❶

▶정답 19쪽

C 첫소리 글자와 그림, 단어를 선으로 연결해 보세요.

D 빈칸에 알맞은 첫소리 글자를 찾아 쓰고, 단어를 읽어 보세요.

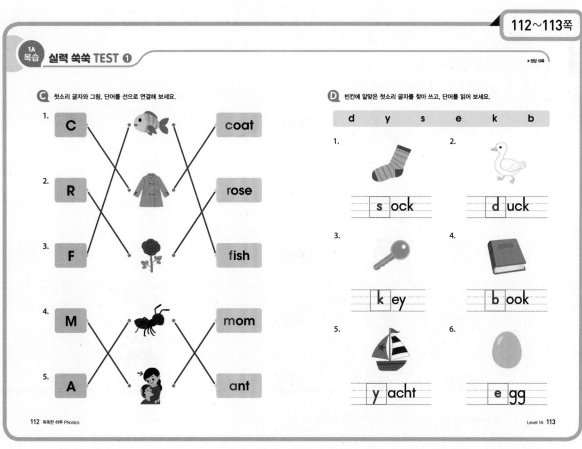

114~115쪽

1A 복습 실력 쑥쑥 TEST ②

▶정답 20쪽

Ⓐ 잘 듣고 알맞은 첫소리 글자를 찾아 선으로 연결해 보세요.

Ⓑ 잘 듣고 알맞은 그림과 첫소리 글자를 찾아 동그라미 해 보세요.

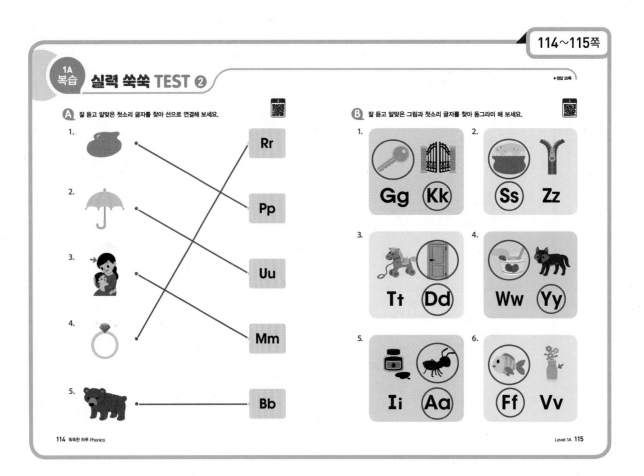

114 똑똑한 하루 Phonics

Level 1A 115

116~117쪽

1A 복습 실력 쑥쑥 TEST ②

▶정답 20쪽

Ⓒ 첫소리 글자와 그림, 단어를 선으로 연결해 보세요.

Ⓓ 빈칸에 알맞은 첫소리 글자를 찾아 쓰고, 단어를 읽어 보세요.

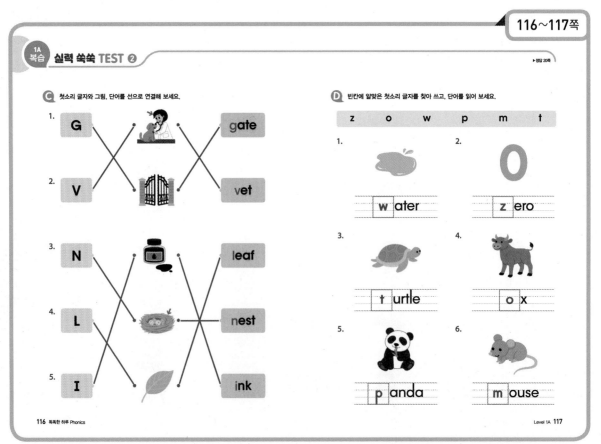

116 똑똑한 하루 Phonics

Level 1A 117

Memo

Memo

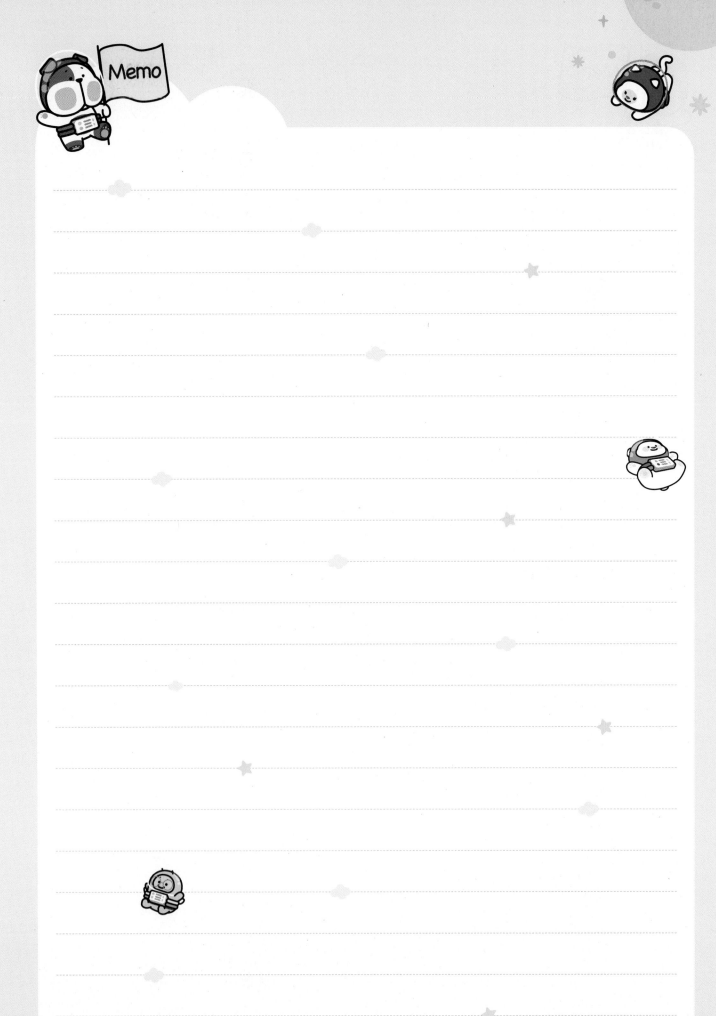

Memo

정답은
이안에
있어!

수학 전문 교재

●연산 학습

빅터연산	예비초~6학년, 총 20권
창의융합 빅터연산	예비초~4학년, 총 16권

●개념 학습

개념클릭 해법수학	1~6학년, 학기용

●수준별 수학 전문서

해결의법칙(개념/유형/응용)	1~6학년, 학기용

●서술형·문장제 문제해결서

수학도 독해가 힘이다	1~6학년, 학기용
초등 문해력 독해가 힘이다 문장제편	1~6학년, 단계별

●단원평가 대비

수학 단원평가	1~6학년, 학기용

●단기완성 학습

초등 수학전략	1~6학년, 학기용

●상위권 학습

최고수준S	1~6학년, 학기용
최고수준 수학	1~6학년, 학기용
최강 TOT 수학	1~6학년, 학년용

●경시대회 대비

해법 수학경시대회 기출문제	1~6학년, 학기용

국가수준 시험 대비 교재

●해법 기초학력 진단평가 문제집	2~6학년·중1 신입생, 총 6권
●국가수준 학업성취도평가 문제집	6학년

예비 중등 교재

●해법 반편성 배치고사 예상문제	6학년
●해법 신입생 시리즈(수학/영어)	6학년

맞춤형 학교 시험대비 교재

●열공 전과목 단원평가	1~6학년, 학기용(1학기 2~6년)

한자 교재

●해법 NEW 한자능력검정시험 자격증 한번에 따기	6~3급, 총 8권
●씽씽 한자 자격시험	8~7급, 총 2권
●한자전략	1~6학년, 총 6단계

배움으로 행복한 내일을 꿈꾸는
천재교육 커뮤니티 안내 . . .

 교재 안내부터 구매까지 한 번에!
천재교육 홈페이지

자사가 발행하는 참고서, 교과서에 대한 소개는 물론
도서 구매도 할 수 있습니다. 회원에게 지급되는 별을 모아
다양한 상품 응모에도 도전해 보세요!

 다양한 교육 꿀팁에 깜짝 이벤트는 덤!
천재교육 인스타그램

천재교육의 새롭고 중요한 소식을 가장 먼저 접하고 싶다면?
천재교육 인스타그램 팔로우가 필수!
깜짝 이벤트도 수시로 진행되니 놓치지 마세요!

 수업이 편리해지는
천재교육 ACA 사이트

오직 선생님만을 위한, 천재교육 모든 교재에 대한 정보가 담긴
아카 사이트에서는 다양한 수업자료 및 부가 자료는 물론
시험 출제에 필요한 문제도 다운로드하실 수 있습니다.

https://aca.chunjae.co.kr

 천재교육을 사랑하는 샘들의 모임
천사샘

학원 강사, 공부방 선생님이시라면 누구나 가입할 수 있는 천사샘!
교재 개발 및 평가를 통해 교재 검토진으로 참여할 수 있는 기회는 물론
다양한 교사용 교재 증정 이벤트가 선생님을 기다립니다.

 아이와 함께 성장하는 학부모들의 모임공간
튠맘 학습연구소

튠맘 학습연구소는 초·중등 학부모를 대상으로 다양한 이벤트와 함께
교재 리뷰 및 학습 정보를 제공하는 네이버 카페입니다.
초등학생, 중학생 자녀를 둔 학부모님이라면 튠맘 학습연구소로 오세요!